La force du sexe faible

MICHEL
ONFRAY

La force du sexe faible

Contre-histoire
de la Révolution française

———

ESSAI

À Dorothée qui me l'avait demandée.

Introduction
Robespierre n'a pas eu lieu

Anatomie du cerveau reptilien

Robespierre n'eut jamais de corps. Du moins, il vécut comme s'il n'avait ni sexe, ni ventre, ni mains pour caresser, ni bouche pour embrasser, ni peau pour toucher. Il naquit accessoirement à Arras et mourut par hasard sous le rasoir de la guillotine parisienne, car il fut d'abord et avant tout un citoyen de la Rome antique, plus contemporain de Marius et de Pompée, de César et de Brutus, que de ses voisins boulangers ou charpentiers, portefaix ou artisans au nom desquels il prétendait pourtant parler. Cet homme a vécu sa courte vie drapé dans une toge virile ; mais le drapé antique allait mal au bourgeois perruqué, coiffé et poudré qu'il fut.

La vie de ce lecteur de Plutarque fut consacrée à se venger d'une humiliation d'adolescence. Mais, pour dissimuler cet aspic venimeux et peu avouable (ce mobile était-il même clair aux yeux du despote ? J'en doute...), il enveloppa soigneusement son ressentiment dans des pages de Tacite et de Rousseau. Son cerveau baignait dans la bile. Il lut *Du contrat social* et la *Profession de foi du Vicaire savoyard* avec un avant-goût de sang dans

11

la bouche. Cuite par son intelligence froide, sa rancœur devint idéologie.

Orphelin de mère, abandonné par son père alors qu'il a six ans, Robespierre est récupéré par son grand-père maternel qui s'occupe des quatre enfants de la famille. Placé au collège à sept ans, distingué par la monarchie, il obtient une bourse qui lui permet de quitter la province pour étudier au collège Louis-le-Grand à Paris. Ses vêtements râpés, ses souliers éculés, sa tenue défraîchie lui valent les moqueries des fils de la bourgeoisie et de l'aristocratie parisienne.

Pour fuir cette humiliation, il se réfugie dans la lecture des auteurs romains. Puisque les enfants de riches et de nobles ne veulent pas de lui, alors il ne veut pas d'eux. Dès lors, par décision et volonté, il se sent désormais chez lui dans *Les Vies des hommes illustres* de Plutarque ou dans les *Philippiques* de Cicéron. Paris ne veut pas de lui, mais Rome l'accueille : il fera du Paris révolutionnaire une Rome à sa main.

Le corps de Robespierre est en trop : insomniaque, abonné aux cauchemars, sans vie sexuelle connue, nerveux pathologique, dépressif, sujet aux maladies de peau, affublé d'ulcères variqueux aux jambes, mauvais parleur, saignant régulièrement du nez, paranoïaque, Robespierre n'est qu'un cerveau, un vouloir, une décision, une volonté. On comprend qu'il communie dans le stoïcisme, tourne le dos à la vie et voue un culte au néant. L'avocat d'Arras a épousé la mort.

Cet anémique a besoin du sang frais de révolutionnaires exécutés pour irriguer son encéphale : avant la Révolution, monarchiste, il s'oppose à la peine de mort ; après elle, dès les exactions de la Commune qu'il légitime, via les massacres de Septembre (1 500 morts, plus de 350 prêtres massacrés) et jusqu'à la fin, il jouit de l'hémoglobine versée à flots dans un fouillis de têtes tranchées. Il nourrit son intelligence glaciale avec ces quartiers de viande humaine. La décapitation de Louis XVI, celle de Marie-Antoinette, les charrettes de Girondins, d'Enragés, de dantonistes, d'hébertistes, d'Indulgents, d'athées se succèdent. Puis celles de Charlotte Corday, de Manon Roland, d'Olympe de Gouges. Il n'est plus contre la peine de mort. Devant ces corbillards remplis de morts vivants, Robespierre n'a *jamais* un mot humain. Il fait tuer, sans état d'âme. Ses prétendus amis compris...

La Révolution baigne dans le sang : 100 000 victimes de massacres et d'exécutions ; 16 594 guillotinés, dont 2 500 à Paris ; 20 000 à 30 000 fusillés ; 20 000 à 50 000 victimes vendéennes ; entre 2 000 et 9 000 noyés à Nantes... L'un de ses biographes, Joël Schmidt, qui cherche à comprendre l'homme sans le juger (et conclut sur l'énigme du personnage en évitant de donner un seul chiffre du bilan de la Terreur...), écrit pourtant : « Avec un tel fanatisme, on peut aller loin dans le crime contre l'humanité. Et si Robespierre en avait eu les moyens techniques, que n'aurait-il fait ? » En effet, la question se pose...

Le 10 thermidor 1794, la mâchoire pendante après sa tentative de suicide, il se trouve au pied de l'échafaud avec Couthon, Saint-Just et son frère, indéfectible compagnon. Robespierre assiste aux exécutions : il a fermé les yeux en attendant son tour. Tout à la jouissance de son cerveau stoïcien, enivré de lui-même, goûtant une dernière fois les délices de sa cérébralité et les prodiges du pouvoir de sa pensée, l'homme qui avait dit à la tribune le 21 novembre 1793 : « Si Dieu n'existait pas, il faudrait l'inventer » (*Œuvres complètes*, X.197) rouvre les yeux, le temps de revenir au vrai monde afin d'en préparer sa fuite. Au dévot qui croyait à l'immortalité de l'âme et ordonnait de raccourcir les sans-Dieu, le paradis des terroristes a probablement ouvert immédiatement ses portes.

Le couperet fait tomber dans la sciure la tête de cet homme qui avait mis toute son intelligence au service des furies de son cerveau reptilien. Robespierre avait trente-six ans. Son corps et celui des siens ont été enterrés dans un lieu tenu secret, puis recouverts de chaux vive pour éviter le culte révolutionnaire. La monarchie de Juillet a construit sur ce terrain vague une piste de danse pour le bal. De joyeux danseurs ont donc piétiné la face du doctrinaire rousseauiste pendant des années sans le savoir.

*
* *

Il existe toujours des adorateurs de ce serpent qui disait parler pour le peuple afin de mieux l'envoyer à l'échafaud, pour son bien bien sûr, au nom, évidemment, de ce qu'il appelait la vertu… Ainsi, à propos de Lénine, Staline, Mao et quelques autres du même acabit, dont Robespierre, Alain Badiou affirme en effet : « Il est capital de ne rien céder au contexte de criminalisation et d'anecdotes ébouriffantes dans lesquelles depuis toujours la réaction tente de les enclore et de les annuler » ! Zizek, quant à lui, préface les « plus beaux discours » du Terroriste en le couvrant d'éloges, puis il écrit ceci : « Notre tâche aujourd'hui est de réinventer une terreur émancipatrice. »

En plus de ces deux philosophes, je m'étonne toujours qu'il y ait encore de francs partisans de Robespierre parmi les universitaires (Claude Mazauric et Jean-Clément Martin), les politiciens (Jack Ralite du PCF et Jean-Luc Mélenchon du Front de gauche) ou des citoyens de base (les 3 137 signataires d'un comité de soutien pour la création d'un Musée Robespierre à Arras…), mais qu'il n'y en ait aucun pour se réclamer de Carrier ou de Fouquier-Tinville, comme s'il y avait d'un côté des tyrans présentables, puisque intellectuels frottés de belles-lettres, brillants théoriciens de leurs crimes, et, de l'autre, des satrapes infréquentables, parce qu'ils ne se sont jamais piqués de philosophie politique, n'ont pas cité Jean-Jacques Rousseau, ou ont évité de se draper dans l'antique pour envelopper leurs crimes dans la toge virile des Spartiates. Or, si les premiers ont existé comme ils ont existé, c'est parce que les seconds leur ont rendu possible cette vie-là… Car, sans Carrier et Fouquier-Tinville, pas de Robespierre – et vice versa…

Carrier, Jean-Baptiste de son prénom, supervise les noyades de Nantes qui, entre mai 1793 et fin janvier 1794, font 5 000 victimes. Le génocidaire utilise des bateaux à fond plat qu'il remplit d'hommes, de femmes et d'enfants, de prêtres et de vieillards, de grands-mères et de femmes enceintes, tous précipités vers le fond de la Loire par une trappe. Les victimes sont dénudées, leurs vêtements vendus, elles sont volées, dépouillées de leurs biens. Parfois, Carrier attache un homme et une femme nus avant de les précipiter par le fond ; on parle alors de « mariages républicains » ou de « baignoire nationale »...

Les enfants, traités de vipères qu'il faut étouffer pour éviter d'avoir à les massacrer plus tard (déjà...), font partie des victimes, ainsi que des jeunes filles grosses de plusieurs mois. Michelet dénombre au moins 300 enfants dans ces massacres... Pas de procès, Carrier affirme : « Il ne faut point de preuves matérielles, le soupçon suffit. » Qui est le maître des soupçons ? Lui...

Jean-Clément Martin, professeur d'université émérite à la Sorbonne, directeur de l'Institut d'histoire de la Révolution française (CNRS), membre de la Société des études robespierristes, auteur depuis un quart de siècle d'ouvrages sur « 1789 », écrit dans *La Révolution française* : « Les massacres en Vendée n'ont jamais (*sic*) été étudiés systématiquement, mais ont été connus et dénoncés dès 1794, puisque toute une campagne exceptionnelle leur a été consacrée par une presse polémique (*sic*), amalgamant (*sic*) Carrier, le député représentant de la Convention de Nantes, où il fait (*sic*) commettre des noyades, à Robespierre, supposé (*sic*) le défendre. La deuxième allégation est fausse, mais permet malgré tout d'entrer dans les accusations contre Carrier. »

Que ces massacres n'aient jamais été étudiés, c'est faux : Reynald Secher l'a fait dans une thèse soutenue en 1985 et publiée chez Perrin (l'un des éditeurs de Jean-Clément Martin !), sous le titre *La Vendée-Vengé. Le génocide franco-français* (avec, entre autres sommités universitaires, Pierre Chaunu et Jean Tulard au jury...), mais l'universitaire robespierriste le traite de négationniste et de révisionniste... L'institution lui a brisé les reins, elle a ruiné sa carrière universitaire, elle a sali l'homme jusque dans sa vie privée, elle a insulté le chercheur. On lira de Reynald Secher *La Désinformation autour des guerres de Vendée et du génocide vendéen* pour découvrir l'étendue de cette ignominie.

Que Robespierre soit « supposé » soutenir Carrier est une contre-vérité manifeste ! Il l'a clairement et nommément soutenu... D'abord, le prétendu Incorruptible défend le principe des massacres de Nantes de juin 1793 : le 5 février 1794, devant le Comité de salut public, il dit en effet « Il faut étouffer les ennemis intérieurs de la république ou périr avec elle ; or, dans cette situation la première maxime de votre politique doit être qu'on conduit le peuple par la raison et les ennemis du peuple par la terreur. Si le ressort du gouvernement populaire dans la paix est la vertu, le ressort du gouvernement populaire en révolution est à la fois la vertu et la terreur : la vertu, sans laquelle la terreur est funeste ; la terreur, sans laquelle la vertu est impuissante. La terreur n'est autre chose que la justice prompte, sévère, inflexible ; elle est donc une émanation de la vertu ; elle est moins un principe particulier qu'une conséquence du principe de la démocratie appliqué aux plus pressants besoins de la patrie ». S'il avait le souci de la vérité plus que celui de nourrir sa foi, le sorbonagre pourrait lire ce texte aux pages 356-357 du tome X des *Discours et rapports à la Convention* de son héros, un volume publié par... la Société des études robespierristes dont il est membre.

Ensuite, Robespierre défend nommément Carrier dont il connaît les agissements, puisque Jullien fils lui envoie une lettre le 16 pluviôse an II (4 février 1794), *soit la veille de sa tirade*, dans laquelle il écrit « que Carrier a fait prendre indistinctement, puis conduire dans des bateaux et submerger dans la Loire, tous ceux qui remplissaient les prisons de Nantes ».

L'éminent membre de la Société des études robespierristes appointé par le Centre national de la recherche scientifique aurait également pu lire à la page 1055 du *Journal des débats et des décrets* de frimaire an III, soit fin novembre 1794 (c'est d'ailleurs son métier : lire avant d'écrire des contre vérités...), un témoignage de Laignelot qui dit à la Convention : « Avant que Carrier fut dénoncé, j'allai voir Robespierre, qui était incommodé ; je lui peignis toutes les horreurs qui s'étaient commises à Nantes ; il me répondit : "Carrier est un patriote, il fallait cela dans Nantes." »

Donc : Robespierre soutient la Terreur – ce qui n'est pas une découverte ; Robespierre connaît les exactions concrètes de la Terreur en général, et de Nantes en particulier –, ceci n'est toujours pas une trouvaille ; mais Robespierre n'ignore rien des agissements de Carrier dans les massacres en Vendée ; nonobstant, Robespierre décerne un brevet de patriotisme audit Carrier pour ses meurtres d'enfants, de femmes enceintes, de vieillards, tous transformés en « brigands » par son caprice.

Certes, on peut être robespierriste... Mais pourquoi diable les dévots de cette secte veulent-ils absolument passer sous silence la dictature de leur héros qu'ils s'évertuent à présenter comme un partisan de l'abolition de la peine de mort (ce qu'il fut en effet à la tribune le 30 mai 1791, mais sa vie contredit ces paroles...), un ami du peuple (alors qu'il se contente de célébrer le concept de Peuple pour mieux mépriser le peuple réel auquel il ne se mêle jamais, par dégoût de la vérité concrète...), un défenseur de la liberté (qu'il identifie à la vertu assimilée à son caprice, elle-même sécrétion de son idiosyncrasie) ?

Le même tropisme clérical anime ceux qui veulent absolument sauver le fascisme d'Hitler en le dissociant de son antisémitisme. Ceux-là prétendent que le dictateur ignorait la solution finale et ignorait ce qu'on faisait à Auschwitz ! Le négationnisme à l'endroit du nazisme est criminalisé, et c'est heureux. Le négationnisme à l'endroit de la Révolution française est enseigné par l'Institution... Normal qu'on en retrouve des traces un peu partout.

Contre Robespierre et les robespierristes de tout poil, d'avant-hier, d'hier, d'aujourd'hui et même de demain, car, gageons-le, il y en aura encore demain, je propose cette contre-histoire de la Révolution française dégagée du catéchisme jacobin qui fait la loi. Le farouche opposant à toute peine de mort que je suis ne saurait trouver son compte à *cette Révolution française-là*, sanglante à souhait, qui, sous prétexte de justice, impose une terreur qui empêche l'avènement de cette même justice.

Les robespierristes et leurs compagnons de route oublieront que j'écris *cette Révolution française-là* pour affirmer que je suis un ennemi de la Révolution française dans sa totalité, et, partant, de toute révolution. Puis ils proclameront que j'ai rejoint le camp des contre-révolutionnaires. La méthode est... robespierriste à souhait !

Je n'oublie pas que c'est Joseph de Maistre, le contre-révolutionnaire le plus célèbre, qui défend l'usage politique de la guillotine dans son *Traité sur les sacrifices*. C'est le même qui, dans ses *Lettres à un gentilhomme russe sur l'Inquisition espagnole*, défend le principe de l'Inquisition qui va toujours de pair avec l'usage de la terreur. Le contre-révolutionnaire n'est pas toujours celui qu'on croit. La révolution n'est pas toujours là où on l'imagine. Ni le révolutionnaire là où on l'attend.

Les Girondines

Une révolution sans testostérone

Dans la Révolution française, les grands hommes ont été des femmes. Mais comme il n'y a pas d'histoire sans les historiens qui la racontent, et que cette histoire a été écrite par des hommes, les femmes en ont été bannies, exclues, sorties. Quand elles s'y trouvent, c'est pour y être caricaturées : Manon Roland est une intrigante, Olympe de Gouges une hystérique, Charlotte Corday une vierge sanguinaire, Théroigne de Méricourt une folle, Germaine de Staël un laideron lascif. Les monarchistes n'aiment que les épouses et les mères de famille ; les Montagnards et les Jacobins aussi. Compagnons de route, Louis XVI avec son phimosis royal et Robespierre avec sa chasteté poudrée et perruquée pensent la même chose sur ce sujet : les femmes sont faites pour leur mari et leurs enfants, le repos du guerrier et la production d'une famille.

Il se fait pourtant que la première histoire de la Révolution française se trouve écrite par une femme : Germaine de Staël meurt en 1817 et l'année suivante paraît en librairie ses *Considérations sur les principaux événements de la Révolution française*. L'histoire de la Révolution française reste une affaire d'hommes dans laquelle le gros volume de la fille de Necker n'a pas de place. Michelet ou Taine, Lamartine ou Tocqueville, Thiers ou Quinet, Burke ou Carlyle, Blanc ou Aulard, Jaurès ou Mathiez, Lefebvre ou Soboul, voilà du solide, du tatoué, du musclé. Madame de Staël ? Elle n'est pas digne d'une entrée dans la cour des grands.

La Révolution française est d'abord une immense profusion, une sublime germination, une grande série séminale. Toutes les passions humaines s'y trouvent : celles qui font s'agenouiller devant le sublime moral, la grandeur romaine de Charlotte Corday par exemple, mais aussi, hélas, celles qui sidèrent par de grands crimes, par des orgies de sang et des repas cannibales.

La séparation n'est pas entre « 1789 », une révolution libertaire improvisée, pleine d'une vitalité joyeuse et positive, et « 1793 », une révolution furieusement égalitariste. Elle est un tout, comme disait Clemenceau, car on dévore de la chair humaine dans les rues de Caen en 1789, on coupe des têtes que l'on porte au bout des piques dès la prise de la Bastille et, en pleine Terreur, le 24 juin 1793, la Convention de la Constitution de l'an I reconnaît le droit à l'insurrection « quand le gouvernement viole les droits du peuple », une disposition politique éminemment démocratique. Le sang a toujours déjà été là ; le progrès aussi.

La véritable séparation s'effectue entre ceux qui croient que le sang versé contribue au progrès, voire qu'il est inévitable, sinon qu'il triomphe en liquide lustral de l'histoire, et ceux qui croient exactement le contraire et affirment que, dès qu'on tue un être humain pour le progrès, on régresse.

Il y a donc là deux lignes qui constituent deux façons d'être révolutionnaire.

D'une part ceux qui légitiment et justifient la fureur populaire qui coupe les têtes à la faux et les embrochent au bout d'une pique, ceux qui marchent sur Versailles pour humilier le roi et sa famille, ceux qui le décapiteront lui et sa femme et laisseront son fils, Louis XVII, mourir dans la géhenne, ceux qui égorgent plusieurs jours de suite lors des massacres de Septembre, ceux qui croient que la Vertu pousse comme les mandragores au pied des gibets, ceux qui inventent des tribunaux dans lesquels on interdit la défense et qui expédient des dizaines de milliers de gens à l'échafaud – 1 376 personnes entre le 11 juin et le 27 juillet 1794, soit quarante-sept jours pour la seule Grande Terreur.

D'autre part ceux qui, malgré l'odeur du sang, les corps sans tête et les têtes sans corps, les charrettes de suppliciés qui n'en finissent pas de cahoter dans Paris vers la place de la Révolution – aujourd'hui de la Concorde… –, les visites domiciliaires, le règne généralisé de la dénonciation, la suspicion érigée en système, la haine dissimulée sous le prétexte de la justice, croient encore et toujours, malgré tout, à la raison, à l'intelligence, au débat, à la loi, à la discussion.

Cette ligne de partage traverse un même camp révolutionnaire. Elle distingue les Montagnards, viciés par les passions tristes, et les Girondins, animés par le goût des Lumières. Les premiers se délectent de Rousseau, tel Robespierre qui n'aimait que lui et haïssait les philosophes ; les seconds apprécient Voltaire, Condorcet, Beccaria, l'*Encyclopédie*. Les uns n'aiment pas les femmes ; les autres, si.

L'historiographie dominante a été constituée par quelques mandarins communistes fascinés par Robespierre, Saint-Just et Marat. Ces historiens ont écrit l'histoire de la Révolution française en regardant vers l'Union soviétique. Or, Lénine a fait la révolution russe en regardant « la Grande Révolution ». Strabismes idéologiques assurés.

Un double écueil guette quiconque souhaite penser librement la Gironde, les Girondins et, surtout, les Girondines. Le premier : croire sur parole cette version néomarxiste dominante qui fait des Girondins de riches propriétaires, des bourgeois qui roulent pour la monarchie, des privilégiés qui détestent le peuple, des alliés de l'aristocratie contre le pouvoir populaire, des hédonistes vulgaires, des défenseurs des propriétaires, donc des exploiteurs et des affameurs.

Le second : affirmer qu'ils inventent le libéralisme entendu dans son acception contemporaine. Les Girondins portent la liberté partout où elle est menacée – y compris au cœur même de la Révolution. Républicains, ils veulent la justice et la liberté, la liberté et la justice sans jamais sacrifier l'une à l'autre. Les Montagnards se contentent de la justice à laquelle ils sacrifient bien volontiers la liberté – ce qui se nomme donc injustice.

Une histoire des histoires de la Révolution française montrerait que ce qui a eu lieu dans cette période a été raconté par des auteurs ayant des intérêts idéologiques à prendre le parti de tel ou tel... *homme* ! Qui Mirabeau, qui Danton, qui Robespierre, qui Saint-Just ! Mais personne ne prend le parti des femmes, voire de l'une d'entre elles, pour organiser la Révolution autour d'elle comme Michelet et Aulard le font pour Danton ou Mathiez et Soboul pour Robespierre.

Michelet fait paraître *Les Femmes de la Révolution* en 1854. Après avoir proposé quelques tableaux de la Révolution française dans lesquels les femmes apparaissent, l'historien précise que, sujettes « à leur sensibilité aveugle », elles ont contribué au dépérissement des partis et ont été « les principaux agents de la réaction » qui a suivi Thermidor. Voici comment l'auteur de *La Sorcière* conclut : « Que te demandons-nous, ô femme ? Rien que de réaliser pour celui que tu aimes, de mettre dans sa vérité complète, ta nature propre, qui est le sacrifice. » Et d'appeler les femmes à se faire pardonner en jouant un rôle meilleur dans les temps à venir en matière d'Histoire.

Une femme a écrit sur la Révolution française, non pas comme l'historienne qu'elle ne fut pas, mais comme la philosophe qu'incontestablement elle a été : Hannah Arendt. Elle publie *Essai sur la révolution* en 1963 et propose une contre-histoire qui prend à revers l'historiographie dominante jacobine, robespierriste et néocommuniste – sinon française, donc parisienne... Bien avant François Furet, en pleine guerre froide, elle fait de la liberté le maître mot de son analyse. Elle cite Condorcet qui écrit dans *Sur le sens du mot « révolutionnaire »* : « Le mot *révolutionnaire* ne peut s'appliquer qu'aux révolutions dont la liberté est le but. »

La philosophe propose de penser l'histoire en relation avec les passions qui jouent un rôle majeur : le ressentiment, la colère, la vengeance, la peur, l'hypocrisie, la compassion, la pitié, la perfidie, la rage. Elle dit aussi combien les mots, les concepts, les idées jouent un rôle moindre dans la généalogie des révolutions que la faim, la misère et la souffrance. En lectrice de Nietzsche, elle sait aussi que cette révolution procède du christianisme en tant que pensée du ressentiment.

Hannah Arendt fait de la Révolution française égalitaire de 1789 la fille de la révolution américaine libertaire de 1775-1783. Elle oppose les Jacobins aux Girondins comme on oppose Sparte à Athènes, Cicéron à Socrate, Rousseau à Voltaire, Machiavel à Montesquieu, le Peuple à la Loi, l'État à la Fédération, l'Égalité à la Liberté, la Terreur à la République, le Concept à la réalité, le pouvoir direct de la rue au pouvoir indirect des élus, la licence des Sections à la patience du Parlement, l'État-nation aux Conseils, la violence accoucheuse de l'histoire au refus de la violence, Robespierre à Jefferson – Lénine à Cronstadt.

Aborder la Révolution française expose à un double risque : celui d'un regard trop vaste qui embrasse tout et mal étreint, et ce au détriment du détail ; celui du regard de myope la tête penchée sur un moment de cette longue période. L'aigle qui ignore le détail ; la taupe qui ne voit que lui.

Chaque heure, la Révolution bouge ; chaque jour elle est une chose ; chaque lendemain elle risque d'en être une autre ; chaque surlendemain, elle est le contraire de l'une et de l'autre. Ici elle stagne, là elle accélère, ailleurs elle part dans une autre direction. Une fois, on comprend le mouvement ; la seconde d'après, on a perdu le fil. Les acteurs abondent ; les inconnus pullulent. Un anonyme fait une chose essentielle ; une figure majeure enchaîne les actions sans conséquence. On parle beaucoup ; on parle partout. On crée des journaux, on écrit, on publie des libelles. On s'agite. On monte à la tribune ; on descend dans les rues. Les avocats relisent Tacite ; le peuple affûte ses faux.

Prélever ceci ou cela dans le flot qui à grande vitesse charrie des pépites et de la boue permet de tout dire et le contraire de tout. Un détail change tout, effet papillon ; une longue persévérance n'obtient rien, effet boulet. Il faudrait un aigle à regard de taupe et une taupe à regard d'aigle. Impossible bestiaire. Chimère logique.

Un angle d'attaque permet d'entrer par effraction dans le château révolutionnaire. *Je choisis les femmes*. Ce fil d'Ariane permet de se mouvoir dans le labyrinthe. Avec lui, on évite de se faire dévorer par le Minotaure car l'on découvre que les femmes qui ont joué un rôle dans la Révolution française auront toutes fait partie du lignage qui croit que la Raison est antinomique avec le sang, que l'échafaud n'est pas un argument, ni la faux ni la pique, que la colère et le ressentiment sont mauvaises conseillères et que l'on peut, que l'on doit, préférer gouverner par l'intelligence plutôt que par la guillotine.

Ces femmes qui ont fait le pari des Lumières ont toutes été girondines. Il n'y a pas de hasard. Et comme l'historiographie dominante est majoritairement robespierriste, jacobine, montagnarde (du moins jusqu'à François Furet et Mona Ozouf), elle a présenté la Gironde sous les traits caricaturaux inaugurés par Robespierre et les siens. Nous en sommes toujours là.

Je propose donc ici une contre-histoire de la Révolution française en refusant la lecture dominante, institutionnelle, estampillée par les hommes. Cinq femmes permettent de constater qu'on pouvait être girondine et révolutionnaire, girondine et républicaine, girondine et adepte des Lumières, girondine et philosophe dans l'action et dans la pensée. Toutes incarnent la force de ce sexe qu'on dit faible. Elles montrent que le destin d'une femme n'est pas dans le fait d'être épouse et mère de famille, mais qu'elles peuvent être grandes dans la réflexion et dans l'initiative. Ignorant la testostérone qui conduit l'humanité quand elle est faite par les hommes, les femmes n'ont pas besoin de faire couler le sang des autres pour exister. En ce sens, quand il ne leur vient pas à l'idée de singer les hommes, elles sont un degré au-dessus de l'humanité qu'eux.

*

* *

Tout est dit, ou presque, à cette séance aux Jacobins au cours de laquelle Robespierre entreprend de faire briser le buste d'Helvétius. En effet, à la séance du 5 décembre 1792 de la Société des amis de la liberté et de l'égalité, Duplay, l'hôte de Robespierre, demande à ce que le buste d'Helvétius soit détruit ainsi que celui de Mirabeau. Robespierre soutient la demande. Motif ? « Helvétius était un intrigant, un misérable bel esprit, un être immoral, un des plus cruels persécuteurs de ce bon Jean-Jacques Rousseau, le plus digne de nos hommages. Si Helvétius avait existé de nos jours, n'allez pas croire qu'il eût embrassé la cause de la liberté : il eût augmenté la foule des intrigants beaux-esprits qui désolent aujourd'hui la patrie » (O.C. IX.144). Après que Robespierre eut ainsi parlé, la foule n'attend même pas la délibération et se précipite sur les bustes, les fait tomber des socles, les casse, les piétine. Les couronnes attachées au mur sont arrachées, mises à terre, brûlées, réduites en cendres, elles sont encore foulées. Haine, mépris, contre-information, calomnie, insulte d'un mort, vandalisme, tout y est. On imagine que si Helvétius avait été là en chair et en os, il en aurait été de même avec sa pauvre personne.

Or qui fut Helvétius ? Le contraire de ce qu'annonce Robespierre : un fermier général généreux qui empêche les abus, s'oppose aux spoliations, refuse l'argent des confiscations, dénonce l'avidité et l'impéritie de certains collègues, dédommage les victimes avec son argent, conseille des viticulteurs bordelais sur l'organisation d'une rébellion contre de nouveaux impôts, paie un médecin pour visiter ses gens et les soigner gratuitement, laisse les paysans braconner sur ses terres, dénonce son époque comme despotique, s'oppose aux taxes levées par le clergé, dénonce la paupérisation induite par les impôts, invite à couper les crédits de l'Église, veut qu'on confisque les biens et les terres du clergé, souhaite qu'on redistribue l'argent aux paysans spoliés, demande que les prêtres enseignent une religion épurée qui « divinise le bien public », aspire à ce que tous soient « égaux en bonheur » et affirme comme objectif politique « la félicité du plus grand nombre ». Le tout vers 1750 !

Mais il eut contre lui d'avoir été un fermier général. Peu importe qu'il ait été ce qu'il a vraiment été, il suffit qu'il ait été cet homme dans l'Ancien Régime pour mériter la vindicte. Vivant, il aurait fait partie de la charrette des 31 fermiers généraux décapités le 8 mai 1794 aux côtés de Lavoisier. On dit qu'ayant demandé un sursis pour achever une expérience, l'inventeur de la chimie moderne s'est entendu répondre par le président du Tribunal révolutionnaire : « La République n'a pas besoin de savants ni de chimistes ; le cours de la justice ne peut être suspendu. »

Peu importe qu'Helvétius ait été un philosophe emblématique des Lumières ; peu importe qu'il ait écrit *De l'esprit* qui lui a valu des ennuis avec le pouvoir royal, la presse chrétienne, les Jésuites, l'Église, le Vatican, les journalistes, la Sorbonne ; peu importe que son livre ait été lacéré et brûlé en place publique puis qu'on ait obtenu ses rétractations par la force ; peu importe qu'il ait prêté de l'argent à Rousseau qu'il recevait dans son salon, un Rousseau qui hurlera avec les loups en trouvant que son livre était dangereux ; peu importe qu'il ait démissionné de sa charge de fermier général pour se lancer dans l'industrie ; peu importe qu'il ait épousé une femme pauvre mais aimante et aimée ; peu importe qu'à l'heure où Robespierre était en culotte courte Helvétius ait proposé la révolution sans le sang : il fut fermier général, il est condamné à mort. Est-il déjà mort ? Qu'on s'acharne alors sur son buste...

Dans le salon d'Helvétius, outre Rousseau reçu lui aussi, tout comme Diderot, on accueille également Condorcet et Beccaria, deux philosophes majeurs de la pensée girondine. L'un est féministe ; l'autre, partisan de l'abolition de la peine de mort, mais aussi de la dépénalisation de l'homosexualité, du suicide, de l'harmonisation de la procédure avec témoins, preuves et avocats, est également pour la suppression de la torture et en faveur de la modération des peines – et ce dès l'été 1764. Robespierre a six ans quand Helvétius souscrit à cette pensée...

Tout comme Diderot qui publia un très bel essai intitulé *Sur les femmes* en 1772, Helvétius a écrit en faveur des femmes. Dans *De l'esprit*, il souhaite qu'on ne leur reproche rien et qu'on se soucie plus de changer la société qui les contraint à être ce qu'elles sont et font ; il célèbre les femmes galantes qui, avec leur goût du luxe et des beaux objets, des tissus et des vêtements, des parfums et des coiffures, font travailler nombre de gens et permettent au commerce d'être florissant ; il souhaite qu'on change les lois pour changer les mœurs. C'est pourquoi dans *De l'homme*, il invite à perfectionner l'éducation des femmes, notamment pour les « débarrasser d'un reste de pudeur » produit par la religion ; il revient sur cette idée que si infériorité des femmes il y a, c'est parce qu'elle a été causée par l'éducation. Helvétius écrit en faveur d'une réforme du mariage : le divorce devrait être légalisé ; la séparation des enfants et la garde organisées.

Plus inattendue en 1769, date d'écriture de ce livre, une période d'essai avant l'engagement pourrait être envisagée : « Je veux que les désirs ambulatoires et variables de l'homme et de la femme leur fissent quelquefois changer d'objet de leur tendresse. Pourquoi les priver des plaisirs du changement, si d'ailleurs leur inconstance par des lois sages n'est point nuisible à la société ? »

En 1788, Condorcet rédige *Sur l'admission des femmes au droit de cité*. Il est le seul philosophe des Lumières à connaître la Révolution française. Rappelons que Voltaire, Rousseau, Diderot,

Montesquieu étaient morts en 1789. Avec humour et ironie, perspicacité et intelligence, arguments et raison, il attaque les lieux communs de la misogynie et de la phallocratie de l'époque : ni la grossesse, ni les indispositions passagères ne sont des arguments pour interdire le fait que les femmes soient des citoyennes à part entière, autrement dit électrices et éligibles : les maladies qui affectent les hommes, comme la grippe ou le rhume, ne sont pas dirimantes pour lui.

De même, les femmes n'ont pas un talent moindre pour diriger un pays quand elles sont aux affaires et Condorcet d'en appeler à Marie-Thérèse d'Autriche, Élisabeth d'Angleterre ou Catherine de Russie. Parlant de cette même souveraine, Robespierre proclame à la séance du 27 brumaire an II (17 novembre 1793) : « Il faut se défier du charlatanisme de ces réputations lointaines et impériales, prestige créé par la politique. La vérité est que sous la vieille impératrice, comme sous toutes les femmes qui tiennent le sceptre, ce sont les hommes qui gouvernent » (IX.178).

Si les femmes sont moins éclairées, ça n'est pas à cause de leur nature mais d'un défaut d'éducation que leur infligent les hommes. L'idée se trouve déjà chez Montaigne. Si d'aventure il fallait prendre en considération le degré de culture d'un être pour savoir s'il mérite d'être citoyen, il faudrait exclure de la citoyenneté les ignorants et ne garder que les diplômés en droit.

Par ailleurs, imaginer que les femmes ne devraient pas s'occuper de politique, sous prétexte que pareille activité les détournerait de leurs devoirs de mères et d'épouses, suppose qu'on devrait également interdire ces mêmes fonctions aux hommes qu'on arrache pour celui-ci à son labour pour celui-là à son atelier.

Condorcet voit un paradoxe dans le fait qu'on n'interdit jamais à une femme d'être régente ou reine mais qu'on lui dénie le droit de pouvoir être élue à l'Assemblée ou électrice aux élections. Si régner est possible aux femmes, alors pourquoi leur interdire de voter ? Et le philosophe de conclure qu'aucune différence naturelle ne permet d'arguer d'une impossibilité pour les femmes de s'occuper activement, comme citoyennes éligibles et électrices, des affaires de la cité.

Les députés girondins défendent le droit des femmes : Condorcet, donc, qui écrit dès 1790 : « On a violé le principe de l'égalité des droits en privant tranquillement la moitié du genre humain du droit de concourir à la formation des lois. » De même Fauchet, évêque constitutionnel du Calvados, habitué du salon de Madame Helvétius, fondateur du Cercle social dans lequel on voit la féministe hollandaise Etta Palm d'Aelders. David Williams, l'auteur des *Observations sur la dernière constitution de la France, avec des vues pour la formation d'une nouvelle constitution* (février 1793), appelé par les Girondins pour préparer leur Constitution dans laquelle ils prévoyaient une meilleure éducation pour les femmes, la possibilité de participer à des jurys dans les tribunaux où étaient jugées des affaires impliquant des femmes, des droits politiques pour les femmes célibataires et les veuves. Lanthenas accueille chez lui les réunions de la Société des amis des Noirs et demande qu'on accorde le droit de vote aux femmes en juin 1794. Brissot bien sûr. Corbel, le député breton. Duplantier également. Rouzet aussi qui, en avril 1793, rédige un projet de Constitution dans lequel les femmes sont éligibles.

Dans *Le Carnet de Robespierre*, on peut lire ceci : « Dissolution des f.r.r. » (XI.404), ce qui veut dire dissolution des femmes républicaines révolutionnaires dont le club est fermé par un décret de la Convention qui interdit tous les clubs de femmes le 20 octobre 1793. Dans ce club, la plupart des femmes vivaient en union libre ; elles souhaitaient lutter contre la prostitution par la prévention et la réinsertion. Elles militaient également pour la nouvelle Constitution qui prévoyait le suffrage universel – mais pour les hommes seulement… Les femmes révolutionnaires, l'extrême gauche d'alors, les Enragés, non loin des sans-culottes, en compagnie de Pauline Léon et Claire Lacombe, déposent une pétition contre ce déni de droit des femmes. Robespierre met fin à leurs activités.

C'est le Condorcet qui travaille à la libération des femmes, des juifs, des Noirs, celui qui s'oppose à la peine de mort (y compris quand il s'agit de Louis XVI !), celui qui souhaite que l'éducation nationale éduque le peuple afin que le suffrage universel qu'il défend soit éclairé, celui qui combat pour les Lumières, c'est cet homme, donc, que la Convention décrète d'arrestation pour trahison le 8 juillet 1793 sur la proposition du Montagnard François Chabot. Condorcet se cache pendant neuf mois. En plein triomphe de la barbarie robespierriste, optimiste invétéré, philosophe jusqu'au bord du précipice, il compose une *Esquisse d'un tableau historique des progrès de l'esprit humain*. Arrêté, incarcéré, Condorcet est retrouvé mort dans sa cellule, face contre terre, le 29 mars 1794.

Robespierre n'a cessé de le combattre à la tribune, de s'opposer à son projet de Constitution républicaine. À la séance du 18 floréal an II (7 mai 1794), au nom du Comité de salut public, Robespierre s'exprime ainsi sur le philosophe dont il ignore la mort : « Tel laboureur répandait la lumière de la philosophie dans les campagnes, quand l'Académicien Condorcet, jadis grand géomètre, dit-on, au jugement des littérateurs, et grand littérateur, au dire des géomètres, depuis conspirateur timide, méprisé de tous les partis, travaillait sans cesse à l'obscurcir par le perfide fatras de ses rapsodies mercenaires. »

Dans ce grand exercice de démagogie populiste (les mots font sens ici...), Robespierre fait du laboureur qui ne sait pas lire un authentique représentant des Lumières là où Condorcet, mathématicien et philosophe, juriste et statisticien, académicien et député, dirait et écrirait n'importe quoi comme un vendu à la cause contre-révolutionnaire. Il agirait donc en *conspirateur*. Pour quelles raisons ? Parce qu'il a proposé un projet de Constitution auquel Robespierre et les Montagnards s'opposent : ne pas être d'accord avec lui, c'est être un conspirateur. Condorcet défendait les thèses girondines d'une république fédéraliste basée sur les désirs directs du peuple et non sur les prétendus désirs du peuple médiatisés par Robespierre qui se prenait pour lui.

La référence au laboureur est typiquement rousseauiste. Robespierre, qui détestait les philosophes en général et les Encyclopédistes en particulier, sauve Rousseau qu'il vénère. « Le plus éloquent et le plus vertueux des hommes », un « homme divin », un philosophe aux « traits augustes », le penseur à la « noble vie qui se dévoue au culte de la vérité », « l'homme vertueux », « l'âme la plus pure », la « trace vénérée » qu'il veut suivre comme l'écrit Robespierre dans une seule page pour ouvrir ses *Mémoires* parus de manière posthume en 1830 (O.C. I. 211-212). Robespierre a lu Rousseau très tôt, sur le siège des toilettes de sa pension...

On a beaucoup dit combien son culte de l'Être suprême devait à *La Profession de foi du Vicaire savoyard* ; on n'a pas manqué non plus de montrer que *Du contrat social* avait joué un rôle majeur dans sa pensée politique : l'éloge de la peine de mort, l'ardeur à diluer l'individu dans la volonté générale comme somme, non pas des volontés particulières, mais de ces mêmes volontés quand elles s'expriment en fonction de l'intérêt général, ce qui définit la Vertu. Mais on a oublié l'importance jouée par le *Discours sur les sciences et les arts* et le *Discours sur l'origine et les fondements de l'inégalité parmi les hommes* auxquels il emprunte, pour le premier, la haine de la civilisation et son éloge d'une table rase spartiate, et pour le second, sa condamnation de la propriété.

Dans le *Discours sur les sciences et les arts* (1750), Rousseau fait en effet une critique terrible des sciences, du luxe, des idées, du théâtre, de l'imprimerie, du commerce, de l'argent, des mœurs, de la politesse, de la bienséance, des usages, des travaux intellectuels, de la métaphysique, de l'éducation, de l'écrivain oisif, du lettré obscur, et à de nombreuses reprises de la philosophie, sans parler de l'efféminement – la misogynie de Rousseau est légendaire...

Cette critique se trouve contrebalancée par des éloges : le citoyen, la discipline militaire, le désintéressement, la pauvreté, la patrie, l'esprit conquérant, le vrai courage, la simplicité, la vertu, la rusticité, les paysans, les travaux manuels, la foi, la religion, les lois, la virilité – toutes vertus célébrées par Robespierre qui devient, de ce fait, un grand homme pour nombre de fascistes qui aiment les figures jacobines de la Révolution française : Pierre Drieu la Rochelle, Georges Valois, Marcel Déat, Henri Béraud pour se contenter de quelques noms... C'est dans ce texte que Rousseau oppose le Laboureur et les Philosophes – avec des majuscules (O.C. III. 27 & 41).

Rousseau n'aime pas les femmes : l'union légitime avec elles est pertinente, certes, il faut bien faire des enfants et des familles, mais l'amour génère d'infinis troubles dans les vies privées et dans la société ; elles pourraient vouloir la vertu, l'honneur et la probité, mais elles préfèrent user de leurs charmes, « ainsi elles ne font que du mal, et reçoivent souvent elles-mêmes la punition de cette préférence ». Rousseau fait l'éloge de la chasteté et de la continence (III.75) ; Robespierre fut chaste et continent.

De même, l'*Émile* regorge de misogynie : les femmes sont de grands enfants ; l'homme est actif, la femme passive et faible ; elle est faite spécialement pour plaire à l'homme car, toute petite déjà, c'est la parure qui l'intéresse ; la femme est douce, patiente, affectueuse, sédentaire ; elle doit être fidèle ; l'égalité entre les sexes est une idée stupide ; elle doit être jolie, pas bête et disposer d'un savoir qui convient à son sexe, de sorte que toute son éducation doit être relative aux hommes ; elle aurait plus de mal à vivre sans lui que lui sans elle ; l'éducation doit développer la force chez les garçons et l'agrément chez les filles ; son goût pour la poupée prouve qu'elle est prédestinée à la maternité ; il faut lui imposer à avoir du soin, à être vigilante, laborieuse, gênée de bonne heure ; la dépendance est l'un de ses traits particuliers ; elle doit obéir à l'homme et apprendre à souffrir ; elle n'a pour elle que son art et sa beauté ; elle ne cherche que l'effet produit au contraire des hommes qui visent l'utilité ; elle doit avoir la religion de sa mère quand elle est enfant, celle de son mari quand elle est adulte ; elle est soit bigote, soit libertine ; elle est faible et fragile mais fait faire ce qu'elle veut à son époux ; elle doit exceller dans les tâches domestiques, cuisine, vaisselle, ménage, mais aussi dans celles de la mère, propreté, allaitement ; il lui faut « un bon naturel dans une âme commune », car rien n'est plus ridicule qu'une femme lettrée.

Faute d'avoir trouvé une Sophie à son goût, il n'y eut jamais de femmes dans la vie de Robespierre. Pas de sexe, pas de femmes, pas de plaisir. Son biographe Laurent Dingli affirme qu'il meurt probablement vierge à trente-six ans (53). Celui qu'on nomme l'Incorruptible a envoyé à l'échafaud Manon Roland, Marie-Antoinette, Olympe de Gouges, Charlotte Corday, Lucile Desmoulins, ou bien encore la comtesse du Barry, Élisabeth de France, la sœur de Louis XVI, ou la femme d'Hébert, le journaliste du *Père Duchesne*. Pendant les dix-huit mois de son activité, le Tribunal révolutionnaire envoie 900 femmes à l'échafaud ; elles représentent un tiers des condamnés. Il y a encore des mystificateurs pour affirmer que Robespierre était contre la peine de mort !

Pour faire de Robespierre, qui a pourvu goulûment la guillotine en têtes pendant des mois, un opposant à la peine de mort, il faut un talent fou pour le déni : certes, il a *écrit contre*, mais il a passé sa vie à *agir avec*. Les peuples qui se sont passés de la peine de mort ont été « les plus sages et les plus heureux » (VII.435), dit-il dans son discours *Sur la peine de mort* le 30 mai 1791 ; elle est injuste, inefficace, dégradante, barbare ; la peine sert à dissuader, celle qui inflige la mort ne dissuade jamais personne de rien ; il faut des lois justes et raisonnables, douces et graduées, généreuses et humaines – en conséquence de quoi, Robespierre demande l'abolition de la peine de mort.

Comment le même homme peut-il alors justifier la peine de mort en construisant la machine du Tribunal révolutionnaire dont le carburant est la loi du 22 prairial an II (10 juin 1794) ? Robespierre était opposé à la peine de mort en 1791, parce qu'il n'avait pas le pouvoir ; il en est le farouche partisan quand il en dispose et qu'elle devient pour lui un instrument de gouvernement.

Cette loi de Prairial ouvre la période dite de la Grande Terreur : du 6 avril, date de la création du Tribunal révolutionnaire, au 10 juin 1794, date de la réorganisation de ce Tribunal, soit quatorze mois, le Tribunal décide de 1 376 morts ; du 10 juin au 9 thermidor (27 juillet 1794), date de l'arrestation de Robespierre, soit un mois et demi, le Tribunal en décrète 1794. Plus de 3 000 morts... L'article VII de cette loi fait de la peine de mort l'issue du procès qui conclut à la culpabilité d'un prévenu convaincu d'être « un ennemi du peuple ». Un luxe de détails sur ce qui définit *l'ennemi du peuple* permet de conclure qu'il est celui que les membres du Tribunal auront décrété tel. Ce texte donne forme de loi à la négation de toute forme de droit : elle supprime l'interrogatoire avant le procès, elle interdit de plaider à l'avocat de la défense, elle récuse l'audition des témoins, elle refuse tout recours, en un mot, elle prive les accusés du droit à se défendre. Le Tribunal révolutionnaire se réserve le droit de condamner sur simple présomption morale. Fouquier-Tinville, l'accusateur public, souhaite que la guillotine soit installée au milieu même du Tribunal.

Les Girondins se distinguent des Montagnards sur la question des femmes ; ils se séparent également sur celle de la peine de mort. Beccaria, qui fut l'auteur d'un remarquable *Traité des délits et des peines*, fut un habitué du salon d'Helvétius. Alors que Rousseau justifie la peine de mort contre celui qui ne croit pas à la « profession de foi purement civile » sans laquelle il ne saurait y avoir ni « bon citoyen ni sujet fidèle » (III.468) – Robespierre s'en souviendra… –, Beccaria écrit quant à lui de la peine de mort qu'elle n'est donc pas un droit « mais une guerre de la nation contre un citoyen qu'elle juge nécessaire ou utile de supprimer » (XXVIII). Il appelle à son abolition dès 1764. Condorcet défend cette idée. Et c'est en son nom qu'il s'opposera à la mort du roi – en lui préférant les galères…

Beccaria nourrit les Girondins. Le jeune juriste italien des Lumières est traduit par Morellet en 1766 à l'instigation de Malesherbes. En 1780, Brissot remporte le premier prix de l'Académie de Châlons-sur-Marne avec son mémoire sur *Les Moyens d'adoucir la rigueur des lois pénales en France, sans nuire à la sûreté publique*. Le même Brissot l'édite en 1782 dans le premier volume de la *Bibliothèque philosophique du législateur*. À ses yeux, le traité est « le livre de chevet de tous les souverains soucieux de réformer les abus de leur législation ». Voltaire, D'Alembert, Condorcet, Helvétius, Diderot, Buffon, Hume souscrivent à cette idée et le font savoir. Le 10 octobre 1789, les Constituants s'inspirent de Beccaria pour voter une série de mesures qui garantissent la défense des accusés. Un nouveau projet de code pénal est rédigé par Le Peletier de Saint-Fargeau. Beccaria l'inspire. Une discussion s'ouvre à l'Assemblée le 30 mai 1791. Le lendemain, Adrien Duport, un député antijacobin, monte à la tribune pour combattre la peine de mort, il cite Beccaria. Le 1er juin 1791, l'Assemblée vote son maintien. Beccaria dit avoir été influencé par Montesquieu, l'*Encyclopédie*, Buffon, Diderot, Hume, D'Alembert. Mais aussi par Helvétius. De nombreux députés girondins étaient contre le principe de la peine de mort : Bancal, Brissot, Vergniaud, Cussy, Valazé, Condorcet, Kersaint, Lanjuinais, Manuel, Rabaud-Pommier, Rabaut Saint-Étienne...

Les femmes associées à la Gironde sont donc féministes et opposées au sang versé, ce qui, à mes yeux, va de pair : c'est l'effet d'un cerveau qui ne baigne pas dans la testostérone. Leur féminisme n'est pas l'inversion du machisme, comme souvent, à savoir le retournement de la violence des hommes contre les femmes en violence des femmes contre les hommes, mais vie féministe. À rebours du discours féministe qui cache souvent les maux des femmes sous des jeux de mots à propos des femmes, ce féminisme est *vie de femme vécue dans la liberté*, pas plus, pas moins. Nulle revendication agressive, acrimonieuse, fielleuse, juste une existence menée sous la barbe des hommes, sans eux, malgré eux, pas contre eux. Et toutes pour la liberté.

Manon Roland ne fait rien d'autre que penser la réalité et agir de façon concrète et pragmatique pour prendre place en elle. Au risque de sa vie, elle veut infléchir le cours de ce qui est pour y incarner dans l'histoire les idées auxquelles elle croit : la liberté sous toutes ses formes. Elle le paie de sa vie. Elle incarne *les malheurs de la vertu girondine*.

Olympe de Gouges rédige une *Déclaration des droits de la femme et de la citoyenne* avec humour, ironie même : elle reprend le texte des hommes et remplace « hommes » par « femmes » là où les mots apparaissent, ce qui ouvre de fabuleuses perspectives ontologiques, existentielles et philosophiques. On lui coupe la tête. Elle exprime *la force du sexe faible*.

Charlotte Corday lit *Les Vies des hommes illustres* de Plutarque, elle montre que des femmes peuvent être des hommes illustres : elle accomplit une sidérante opération dialectique en faisant couler le sang pour arrêter que le sang coule, elle tue pour qu'on ne tue plus, elle condamne le sang et le verse pour montrer qu'elle le condamne. En agissant de la sorte, elle incarne le tyrannicide, grandeur du geste politique qui s'avère la matrice de la résistance à l'oppression. On l'envoie à l'échafaud. Elle manifeste *le sublime de l'énergie*.

Théroigne de Méricourt veut que les femmes puissent elles aussi défendre la république en partant au combat afin de défendre la réalité d'un régime de liberté, d'égalité et de fraternité. Elle souhaite aussi, quand cette guerre cessera d'être défensive et dirigée contre les ennemis de la Révolution, que la violence cesse de faire la loi dans une configuration où l'adversaire est devenu l'ennemi intérieur – ce qui nomme la guerre civile. Elle aspire à réaliser *la liberté par les femmes*.

Germaine de Staël croit que le réel peut être gouverné par les idées, mais en aucun cas que les idées n'ont de réalité en dehors des occasions dans lesquelles elles s'incarnent. Elle est donc le contraire de l'idéologue qui, lui, croit à la sainteté des concepts auxquels il sacrifie les humains et qui effectue de perpétuelles génuflexions devant des idoles majuscules – le Peuple, la Liberté, l'Égalité, la Fraternité, la Nation, la République. Elle eut le visage de *la raison pragmatique*.

Edgar Quinet ouvre son histoire de la Révolution française, intitulée sobrement *La Révolution*, avec une magnifique phrase : « Le vrai moyen d'honorer la Révolution est de la continuer, en portant une âme libre dans son histoire. » Les femmes girondines, plus que nombre d'hommes dans cette période cardinale de l'histoire de la civilisation européenne, ont porté une âme libre. Que les hommes se mettent donc à leur école !

Olympe de Gouges
La force du sexe faible

Olympe de Gouges n'a pas appris la vie chez Plutarque mais... dans la vie ! La fille adultérine de Jean-Jacques Le Franc, marquis de Pompignan, académicien et avocat général à Montauban, savait pourtant assez de Rousseau pour se targuer plus tard d'être une enfant naturelle. Le marquis était chef du parti bigot, ce qui ne l'empêchait pas (ce qui peut-être même l'y conduisait...) de mener une vie en dehors des clous de la famille comme il aurait convenu pour un buveur d'eau bénite. Le marquis tenait donc d'une main le Nouveau Testament et de l'autre la chandelle de la chambre où fut conçue l'Olympe.

Pompignan fut le chef des « Antiphilosophes ». Or, malheur aux vaincus, on sait moins ce qu'ils furent que ce qu'ont été les « Philosophes » car, eux, ils ont gagné : c'était en effet ceux qui, Voltaire et Diderot en tête, mais aussi Helvétius ou D'Holbach, faisaient briller de mille feux les Lumières qui portaient la clarté en même temps que le feu là où grouillait l'obscurantisme – la religion catholique en premier lieu... Voltaire troussa quelques épigrammes cinglantes qui firent plus pour la postérité du marquis que son œuvre tombée dans l'oubli, même à Montauban.

Olympe, qui s'appelle alors Marie-Olympe Gouze, du nom du boucher avec lequel Pompignan marie sa maîtresse (le marié aura le bon goût de s'éloigner vite et de mourir plus vite encore...) pour couvrir son forfait (on est bigot ou on ne l'est pas...), n'est pas éduquée du tout. Elle parle occitan, peu et très mal français ; elle ne sait pas écrire ; elle signe avec difficulté son nom quand il le faut. Plus tard, elle publie nombre de textes, dont douze pièces de théâtre, un roman, des libelles politiques pendant la Révolution : elle les a dictés.

Sa mère qui a convolé en justes noces, en même temps que son amant bigot, la marie avec un traiteur qu'elle exècre. Elle a seize ans lors des fiançailles, il en a soixante. Olympe était courtisée par un jeune protégé de Voltaire (le mariage aurait eu de l'allure sachant que son géniteur était l'ennemi du patriarche de Ferney...), mais on lui a préféré le barbon, traiteur de son métier. Comme le boucher qui ne fit pas de vieux os, le traiteur n'encombre pas la table. Il meurt dans la foulée, du moins dans les trois ans, non sans avoir pris le temps de lui faire un enfant, un garçon. Elle a vingt ans, la voilà veuve, et plutôt joyeuse.

Débarrassée de l'époux gênant, elle change de nom et devient Olympe de Gouges. La particule n'est pas là pour singer la noblesse, mais pour dire qu'elle est fille du boucher Gouges – en fait Gouze, mais l'orthographe est alors flottante en général et en particulier... Olympe signifie qu'elle aspire à une vie dans l'empyrée.

Elle a connu le mariage, donc elle sait qu'il n'est pas question d'y goûter à nouveau si elle veut garder sa liberté, son bien le plus précieux. Elle souhaite bien plutôt « un contrat d'union où les inclinations particulières » font la loi. La vie est bonne institutrice. Elle écrira une pièce intitulée *La Nécessité du divorce*.

Olympe s'amourache du fils d'un intendant aux armées en garnison à Montauban, Jacques Biétrix de Villars de Rozières. Il a quarante ans, elle moitié moins. Il lui propose le mariage, elle refuse. Devenu haut fonctionnaire au ministère de la Marine, en l'occurrence commissaire aux Vivres, il subvient à ses besoins jusqu'à la Révolution française, date de leur fâcherie. Ils ont un enfant qui meurt de bonne heure. Elle vit seule et emménage toujours dans de beaux appartements. Elle s'occupe bien de son fils et lui donne une sérieuse éducation. Il deviendra général de l'armée républicaine.

De vingt à trente ans, elle mène une vie libre à Paris. C'est assez pour s'attirer l'inimitié des hommes qui font l'écume du temps, une écume qui devient souvent flot dans l'histoire. Elle est jeune, seule. Un texte anonyme qui circule dans la capitale la décrit physiquement, elle est jolie, charmante, et l'on y parle même de « sa poitrine remarquable par la plus grande concision » – ce qui change de Madame Roland dont Michelet soulignait « une richesse de hanches et de sein que les dames ont rarement »…

Elle a de l'esprit, du jugement, de la repartie. Elle conduit sa barque seule. Elle gère bien le capital que Biétrix a placé pour elle. En 1788, son compagnon connaît la disgrâce et se trouve privé du monopole des transports militaires. Un temps, elle envisage un procès contre lui afin qu'il honore sa rente. Certes, ils trouvent une solution à l'amiable, mais elle se fâche tout de même à cette époque, on peut imaginer que le revers de fortune n'y est pas pour rien. La liberté d'une femme ne va pas toujours sans une certaine libéralité des hommes – plus la libéralité de l'un est grande, plus petite est la liberté de l'autre.

Olympe de Gouges reconnaît avoir des amants ; elle les préserve en taisant leurs noms. Quelques-uns d'ailleurs ont des patronymes qu'il vaut mieux taire si l'on veut éviter les ennuis. Elle s'occupe seule de son fils alors que l'époque ne voit pas d'un mauvais œil le placement des enfants dans des familles d'accueil.

Elle aime les animaux et possède des oiseaux, des chiens, des chats, des singes ; elle s'intéresse à la transmigration des âmes d'un vivant à l'autre, par exemple d'un lévrier réincarné en marquis ; elle s'initie à la physiognomonie ; elle se passionne pour le baquet de Mesmer et ses prétendues guérisons par le fluide magnétique.

Sa fortune lui permet la construction d'un petit théâtre chez elle. Elle donne des représentations avec décors et costumes. Son fils de quinze ans lit certaines de ses pièces. Bientôt il est capable de tenir un rôle. Elle reçoit parfois plusieurs dizaines de personnes. Ninon de Lenclos est son modèle. Un an avant la Révolution française, elle écrit une pièce en cinq actes et deux ballets intitulée *Molière chez Ninon ou Le siècle des grands hommes*.

Son théâtre est politique, loin de l'enflure du siècle qui sature ses pièces de références à l'Antiquité, Olympe aborde les sujets de son temps : le mariage, l'adultère, la bâtardise, l'harmonie des sexes, l'enfant, le couple, l'esclavage, les vœux forcés, le divorce, le racisme, la prison pour dettes...

Elle est probablement initiée à la franc-maçonnerie. Biétrix l'est. Elle fréquente le salon de Madame Helvétius où l'on croise la fine fleur de la politique, de la pensée, de la philosophie, de la science. Le mari de Sophie Helvétius, le philosophe qui a publié *De l'esprit* et *De l'homme*, est lui aussi franc-maçon.

Olympe de Gouges veut se faire jouer au Français. Elle propose *Zamore et Mirza ou l'heureux naufrage*, une pièce dans laquelle elle dénonce l'esclavage des Noirs dans les colonies. Or, de nombreuses fortunes sont faites à Paris avec le commerce triangulaire. Pour des raisons qui mélangent probablement un peu la politique mais surtout beaucoup les susceptibilités de personnes, la pièce est refusée. Olympe regimbe ; les comédiens persistent. Ces derniers prennent prétexte de courriers qu'ils trouvent insultants à leur endroit pour demander une lettre de cachet contre elle. Il lui faut faire intervenir ses relations haut placées pour empêcher l'embastillement. Elle n'ira pas en cellule. Mais elle n'obtiendra pas la représentation à la Comédie-Française.

On fait courir le bruit qu'elle n'écrit pas ses pièces ; elle dit qu'elle les compose en une journée ; on ne la croit pas ; elle propose une joute à Beaumarchais : écrire une pièce dont le sujet est découvert par les deux auteurs et la donner à juger à un jury impartial. L'argent des représentations irait à six jeunes filles pauvres pour leur mariage. Beaumarchais avec qui elle eut un temps des problèmes ne releva pas le défi.

La lutte contre l'esclavage est venue d'Angleterre puis des États-Unis. En France, certains s'engagent dans ce combat. Voici comment le baron Wimpffen (le futur député de Caen à la Constituante qui préparera l'insurrection girondine dans la capitale bas-normande) dénonce cette infamie : « Les claquements de fouet, les cris étouffés, les gémissements sourds des nègres qui ne voient naître le jour que pour le maudire, qui ne sont rappelés au sentiment de leur existence que par des sensations douloureuses, voilà ce qui remplace le chant du coq matinal. C'est aux accords de cette mélodie infernale que je fus tiré de mon premier sommeil à Saint-Domingue. » Brissot (qui donnera son nom aux brissotins avant qu'on ne les appelle les Girondins) est le premier Français à lutter contre l'esclavage en important la Société des amis des Noirs créée à Londres en 1787. Condorcet, Pétion, futurs Girondins, souscrivent eux aussi à l'abolition de la traite. Elle adhère à cette société.

En 1788, Olympe de Gouges a publié *Réflexions sur les hommes nègres*. Le texte est d'une stupéfiante modernité. Il dénonce le colonialisme, le racisme, la discrimination contre les gens du simple fait de leur couleur de peau ; elle peste contre la violence de l'exploitation, elle fustige l'Europe et les Européens tout à leurs profits et au commerce. Noirs et Blancs sont semblables en tout, sauf la couleur qui ne doit compter pour rien. La fille presque illettrée du boucher se retrouve aux avant-postes du combat antiraciste et anticolonialiste avant même le déclenchement de la Révolution française. On la croyait mondaine et parisienne ; elle est militante et universelle.

Sa pièce contre le colonialisme a été déposée en 1785 à la Comédie-Française. Début 1789, elle n'a toujours pas de nouvelles. Donc elle porte plainte. Les comédiens la mettent en répétition. La Révolution a lieu. Le 28 décembre 1789, mille personnes assistent à la représentation au Théâtre de la Nation – aujourd'hui l'Odéon. Les adversaires avaient mobilisé les leurs. Chahuts et sifflets dans la salle. Trois jours plus tard, il n'y a plus assez de spectateurs. La pièce est retirée. Elle devient propriété du théâtre qui ne souhaite pas la reprogrammer. Elle s'est battue comme un beau diable pour la faire jouer à nouveau. Mais les colons qui louaient des loges à l'année ont menacé de résilier leur abonnement. La direction a soutenu les colons. Olympe de Gouges a baissé les bras.

Quelques mois avant la Révolution, elle confesse : « Laissant-là comités, tripoteries, rôles, pièces, acteurs et actrices, je ne vois plus que plans de bonheur public ! » Elle tourne le dos au théâtre, puis se met à écrire des textes politiques.

Le 6 novembre 1788, dans *Lettre au peuple, ou Projet d'une caisse patriotique, par une citoyenne*, Olympe de Gouges sollicite des dons patriotiques, un impôt volontaire donc, afin de lutter contre le déficit. Elle demande un effort national, mais pas au roi dont elle légitime le train de vie au motif qu'il représente la France en Europe.

Le 15 décembre de la même année, elle publie *Lettre au peuple et Remarques patriotiques* où elle invite chacun, évêques et marquis, ducs et éminences, à se faire citoyen et à démontrer son amour pour la nation. Elle oppose la misère des pauvres et la satiété des riches, qu'elle convie à remettre leur or au coffre de l'État. À défaut, elle annonce que les miséreux pourraient bien un jour se venger sur les propriétaires repus. Six mois plus tard, l'histoire lui donnait raison ! « Je ne suis d'aucun parti », écrit-elle. Mais aussi : « Les écrivains les plus intègres doivent dire ce qu'ils voient, ce qu'ils entendent et ce qu'ils sentent. » Elle s'adresse au roi et à la reine : elle affirme qu'on leur cache les misères des Français et que les ministres ne sont pas intègres.

Elle invite à l'ouverture de « maisons qui ne seraient ouvertes que dans l'hiver pour les ouvriers sans travail, les vieillards sans force, les enfants sans appui ». Elle les nomme « maisons du cœur » ! On y donnerait du travail aux chômeurs, aux veuves, aux ouvriers, aux femmes enceintes, aux mendiants. Qui l'écoute ? Qui l'entend ? Personne... Elle invoque la charité ; elle ne sait pas qu'elle invente la solidarité.

Elle invente la révolution avant la Révolution : contre les propriétaires affameurs qui spéculent sur les grains, elle pose les bases de ce qui pourrait être un genre d'assurance sur les catastrophes climatiques qui ravagent les cultures et produisent les famines par la création d'un fonds de secours nourri par les riches pour les pauvres ; elle suppose le communisme en donnant une formule agraire : que les terres en friche du royaume soient distribuées à des sociétés qui les distribueront aux particuliers selon leurs besoins ; elle annonce un socialisme réalisable via « l'impôt sur le luxe effréné » : les bijoux, les équipages, la domesticité, les armoiries, le jeu, les palais, les hôtels particuliers, la sculpture et les décorations d'appartement...

Elle publie *Séance royale, ou Les songes patrio-tiques* qui est son utopie : dans une ville idéale, la police y serait inutile, les rues ne seraient plus sales, les embarras de circulation auraient disparu, l'approvisionnement serait assuré, les Tuileries seraient éclairées, les habitants porteraient un uni-forme avec « des espèces de bonnets rouges » (!), des cahiers colligeraient les doléances...

Dans d'autres textes, toujours de 1788, elle souhaite le vote par tête, la participation des femmes à la vie publique, l'accès de celles-ci aux distinctions honorifiques, le droit de contribuer au bien public. Elle veut des assistantes mater-nelles ; l'ouverture de ce qu'on appellera plus tard des maternités ; une amélioration des conditions d'hygiène de l'accouchement. Elle désire en finir avec les ordres de la société afin que toutes et tous puissent se choisir et s'épouser sans distinction de classe. Elle aspire à l'égalité des hommes et des femmes. Elle écrit : « J'en connais une qui se sacrifierait en Romaine pour sauver son pays. » Elle parle d'elle ; elle sera cette Romaine.

*
* *

Le roi convoque les états généraux. Elle emmé-nage à Versailles pour être plus près des événe-ments. « Le patriotisme m'a rendue intrépide », écrit-elle le 21 mai 1789. Elle écrit, compose et fait imprimer un texte à deux mille exemplaires. Elle veut le donner à des députés des états généraux pour distribution. Elle dit : « Le tiers va crier : "bravo, ah ! la bonne femme !" La noblesse fera un peu la moue, le clergé le signe de la croix en pestant tout bas ; mais il jettera de l'eau bénite enfin, et tout ira bien. Ainsi soit-il. » Intrépide, en effet...

Elle en appelle au tirage au sort. Elle pense que le moment n'est pas à rivaliser de citations de Montesquieu ou Rousseau, mais à l'action politique de bon sens. Et à payer la dette... Elle écrit *Le Cri du sage*. Puis d'autres libelles encore. Elle avise qu'elle pourrait créer un journal et le rédiger toute seule. Il s'appellerait *L'Impatient*. Elle contacte le censeur royal, qui ne répond pas. Elle approche un député du clergé, un évêque. Cette fois-ci le titre a changé : *Journal du peuple*. Il n'y aura pas de journal.

Le 17 juin, le tiers état se déclare Assemblée nationale ; le roi fait fermer la salle ; les députés envahissent le Jeu de Paume ; le 9 juillet, les états se nomment Assemblée nationale constituante. Le roi chasse ; la reine habille ses amies en paysannes ; Olympe écrit : « Un jour cette reine versera des larmes de sang sur son inconséquence. »

Prise de la Bastille. Elle écrit et imprime à ses frais *Séance royale, ou Les songes patriotiques* dans lequel elle invite Louis XVI à abdiquer au profit d'un régent. Elle souhaite remettre ce texte en main propre au roi. Elle n'est pas reçue. Les trois mille exemplaires sont distribués dans Versailles. Elle bombarde les députés de l'Assemblée de textes sur tous les sujets – le célibat des prêtres, le divorce, les étrangers en France, l'émigration. Elle ne se reconnaît dans aucun parti.

Pour acquitter la dette publique, des femmes d'artistes viennent offrir leurs bijoux à l'Assemblée nationale ; elle offre le quart de ses revenus. Elle invite les femmes de France à offrir leur obole et fustige « les capitalistes calculateurs qui refusent d'ouvrir leurs trésors ».

Graphomane, elle écrit tous les jours et sur tous les sujets. Or, le propre de la Révolution française est que chaque jour la fait, la défait, la refait. Ses interventions sont donc à remettre dans le contexte polymorphe, effervescent, échevelé de l'époque. Le noyau dur reste révolutionnaire, au sens noble du terme, c'est-à-dire non partisan.

Ainsi, elle propose une réforme de la justice afin que le peuple soit jugé par les siens et non par des gens d'une autre classe. Sur le terrain de la Bastille rasée, elle souhaite voir ce qui ressemble à nos assises contemporaines : un tribunal populaire, une défense organisée par le justiciable, une condamnation à la majorité des voix, la possibilité d'un renvoi en appel après un premier jugement et l'indexation du tout sur la pédagogie – il s'agit pour l'accusé de comprendre ce qu'est la loi, sa justice et sa justesse, puis d'éviter la récidive. Les antipodes de ce que fut la justice royale et de ce que sera la Tribunal révolutionnaire... Mirabeau dit d'elle qu'elle a « des fusées dans la tête ». C'est vrai. Elle a cent idées à la minute. Mais, venant d'une femme, personne n'en tient compte.

Elle retourne à Paris (on lui connaît une quinzaine d'adresses...) et fréquente Madame de Boufflers qui fut pendant seize ans l'amie de Rousseau. Elle va au salon de Madame Helvétius où elle a pu croiser les époux Roland mais peut-être aussi ceux qui fréquentaient l'endroit – parmi tant d'autres, Diderot, Chamfort, Condorcet, D'Alembert, Beccaria, Condillac, D'Holbach et un certain Bonaparte... On la rencontre aussi dans d'autres salons, celui de Sophie Condorcet par exemple. Elle s'inscrit au Club de la révolution, un genre d'université populaire où elle parfait ses connaissances avec assiduité. Elle écrit des pièces de théâtre et envisage un théâtre qui ne serait tenu que par des femmes.

Proche de Mirabeau dont elle partage le goût pour une monarchie éclairée par les principes républicains, elle déplore sa mort dans *Le Tombeau de Mirabeau*. C'est lui qui a demandé l'abolition des droits féodaux, la confiscation des biens de l'Église, la création des assignats. Elle sollicite son entrée au Panthéon. Il y entre. Il en sortira bientôt quand on découvrira sa correspondance complice avec le roi dans l'armoire de fer.

La fuite à Varennes (20-21 juin 1791) la déçoit. Elle fustige Louis XVI. Elle souhaite dans un texte que, revenu aux Tuileries, on ne l'entoure que de femmes citoyennes. Elle veut qu'on renvoie chez elles les duchesses, les marquises, les princesses. La Société fraternelle des deux sexes applaudit. Les Jacobins méprisent.

Olympe de Gouges dénonce « la cour gangrenée » ; elle veut la « régénérer entièrement ». Elle dit être « née véritablement avec un caractère républicain ». Dans *Sera-t-il roi, ne le sera-t-il pas ?* elle écrit : « Exécrable Palais-Royal, puisse un jour le peuple désabusé te mettre en cendres ! » Comme presque tout le monde à l'époque, elle est encore monarchiste tout en étant républicaine. Rousseau écrit dans *Du contrat social* qu'une monarchie peut être républicaine, il suffit d'investir la souveraineté à partir de la volonté générale, une logique à laquelle un monarque peut consentir, voire garantir ; elle souscrit à cet apparent oxymore – comme Robespierre. Elle veut éviter la guerre civile, la brutalité, la violence, le sang versé. Pour ce faire, elle table sur la raison, l'intelligence et le bon sens. La fusillade du Champ-de-Mars le 17 juillet 1791 montre que ses craintes ne sont pas infondées ; certains accusent les étrangers ; elle rédige un libelle pour les en dédouaner et inviter à ne pas les stigmatiser.

Pour autant, elle n'est pas dupe : elle sait que des étrangers contre-révolutionnaires cherchent à mettre des bâtons dans les roues de la Révolution. Elle les dénonce. L'idée qu'une guerre pourrait être déclenchée, venue de l'étranger, pour remettre le roi sur le trône la révulse : elle condamne la guerre. Le 13 septembre 1791, le roi prête serment à la Constitution. Elle s'en réjouit.

Puis, parmi une multitude de textes, libelles, papiers, articles, proclamations, Olympe de Gouges fait paraître la *Déclaration des droits de la femme et de la citoyenne*. Ce texte à lui seul lui vaut la postérité. Le féminisme d'Olympe n'est pas animé par le funeste ressentiment et le désir mauvais de se venger des hommes, mais par une jubilatoire passion de l'égalité. Elle ne fait pas des hommes des ennemis, pas plus des amis, mais elle demande aux femmes de s'emparer elles-mêmes de leur destin.

Cette *Déclaration* est adressée à Marie-Antoinette à qui Olympe demande de porter ce projet avec lequel elle rallierait la moitié féminine du royaume et le tiers de l'autre moitié masculine. « À la lecture de ce bizarre écrit, dit-elle, je vois s'élever contre moi les tartuffes, les bégueules, le clergé et toute la séquelle infernale. » Elle n'imagine pas une seconde que la reine pourrait faire partie du lot.

Pour Olympe de Gouges, les hommes ne tiennent leur domination sur les femmes que d'un consentement des femmes à leur domination. Je ne sais si elle a lu le *Discours de la servitude volontaire* de La Boétie, mais elle est tout à fait dans l'axe politique libertaire de l'ami de Montaigne qui écrivait « Soyez résolus de ne plus servir et vous voilà libres » quand elle affirme : « Quelles que soient les barrières que l'on vous oppose, il est en votre pouvoir de les affranchir ; vous n'avez qu'à le vouloir. » Nul défaussement sur les hommes, nulle déclaration atrabilaire contre les hommes, mais une invitation simple à cesser de se faire esclave au nom de la liberté.

Olympe de Gouges est libertaire parce qu'elle aime la liberté : « La loi seule a le droit de réprimer cette liberté, si elle dégénère en licence ; mais elle doit être égale pour tous. » Son féminisme est d'autant plus grand que nulle part il ne se trouve pollué par les passions tristes – ni envie, ni haine, ni jalousie, ni méchanceté, ni ressentiment. Juste la volonté d'égalité.

La *Déclaration des droits de la femme et de la citoyenne* reprend non sans ironie la formule rédigée par les hommes, pour les hommes – liberté, égalité, sûreté, propriété, résistance à l'oppression, liberté d'expression, distinction sur l'utilité, etc. À quoi Olympe ajoute des propositions en faveur des femmes : droit de vote, éligibilité, partage des fortunes, droit des enfants à connaître leur père et à hériter, pension alimentaire pour les maris faillis, sévérité pour les femmes qui obtiendraient cette pension sans légitimité, protection des prostituées, mariage des prêtres, égalité avec les gens de couleur.

Quel Robespierre, quel Saint-Just, quel Danton serait allé jusque-là ? La proposition est présentée par elle à l'Assemblée nationale le 28 octobre 1791 qui n'en tient pas compte – elle ne retient l'attention d'aucun député... Déjà, le 26 août 1789, la Déclaration des droits de l'homme et du citoyen ne faisait aucune place aux femmes – les révolutionnaires croyaient parler pour l'humanité tout entière, ils en oubliaient déjà la moitié... Le 24 juin 1793, la Constitution reconnaît le suffrage universel pour les hommes – pas pour les femmes... Le 30 octobre de la même année, les Sociétés populaires de femmes sont interdites, on accuse les femmes de provoquer des troubles sur la voie publique... Elle avait écrit dans sa *Déclaration* : « La femme a le droit de monter à l'échafaud ; elle doit avoir également celui de monter à la tribune. » Elle n'eut pas droit à la tribune ; elle aura droit à l'échafaud. Le 24 mai 1795, parce qu'elles ont participé à des manifestations contre la famine, les femmes sont interdites d'assister à des manifestations publiques...

Olympe de Gouges avait écrit dans sa *Déclaration* qu'une révolution qui n'obtiendrait pas l'égalité des hommes et des femmes ne serait pas une révolution. Il n'y eut pas d'égalité promulguée entre les hommes et les femmes. Y a-t-il eu vraiment révolution ? Le Jacobin Sylvain Maréchal écrivit même un *Projet d'une loi portant défense d'apprendre à lire aux femmes* !

Elle connaît la nature humaine. En disciple de Rousseau, elle affirme que les hommes sont nés bons et que la société les a rendus mauvais. Elle ne croit pas qu'en étant mauvais on peut devenir bon, autrement dit qu'en faisant couler le sang, fût-ce au nom des beaux principes de la Révolution, on accélérerait l'avènement de la bonté. Elle sait que le sang appelle le sang et qu'en verser une goutte c'est en appeler des flots. Pensée girondine que ne partagent pas les Montagnards. Pensée de femmes, diront les Jacobins, les Montagnards et autres misogynes de la Révolution française. Elle écrit contre les Jacobins, et contre les Feuillants.

Le 3 mars 1793, une manifestation contre la vie chère avait déchaîné la foule à Étampes. Dénoncé comme complice des accapareurs, Jacques-Guillaume Simonneau, le maire qui s'est interposé, a été massacré – lynché puis pendu. L'Assemblée législative a décrété pour lui les honneurs funèbres. Olympe veut faire de cette cérémonie une manifestation en hommage à la loi. Un député demande que le deuil soit porté. Robespierre s'y oppose, il préfère le sang à la loi et dit de Simonneau : « Il fut coupable avant d'être victime » !

Le 20 juin 1792, la foule envahit les Tuileries et humilie le roi en le contraignant à porter le bonnet rouge à cocarde et à boire à la santé de la nation. Humilier est une passion triste ; elle n'y souscrit pas. Elle veut qu'on cesse d'humilier le roi et qu'on proclame sa déchéance. Six semaines plus tard, le 10 août, les choses sont plus claires : la monarchie est abolie, elle se réjouit. La découverte de la duplicité de Louis XVI en contact contre-révolutionnaire avec les puissances étrangères achève de la convaincre. Le roi est enfermé au Temple.

Dans *La Fierté de l'innocence, ou Le silence du véritable patriotisme*, Olympe de Gouges s'insurge contre les massacres de Septembre. Contre la

Commune du 10 août qui a ordonné les massacres, elle écrit : « Le sang, disent les féroces agitateurs, fait les révolutions. Le sang même des coupables, versé avec profusion et cruauté, souille éternellement les révolutions, bouleverse tout à coup les cœurs, les esprits, les opinions et, d'un système de gouvernement, on passe rapidement dans un autre. » Robespierre savait que cette insurrection sanglante lui permettrait de prendre la main.

Sur ce sujet, Olympe écrit : « Quand l'Assemblée constituante a engagé tous les gens de lettre à faire des recherches sur le Code pénal afin d'abroger la peine de mort même sur les criminels, s'attendaient-ils que dans une révolution opérée par les lumières de la philosophie, au bout de quatre ans, les Français donneraient la mort sans relâche pendant trois jours et trois nuits à leurs concitoyens ? » Il y a là, en effet, deux révolutions françaises : celle qui veut abolir la peine de mort (qui a ma faveur…) et celle qui va en faire un usage politique sans retenue – celle d'Olympe de Gouges et celle de Robespierre, Marat, Danton, Saint-Just dont les noms sont restés dans l'histoire comme s'il s'agissait de héros.

Avec la victoire de Valmy obtenue par Dumouriez le 21 septembre 1792, la Législative laisse place à la Convention. La royauté est abolie. La présidence de la Convention fait une belle place aux Girondins. « C'est à cette mouvance qu'Olympe de Gouges se rattacha très nettement », écrit son excellent biographe Olivier Blanc, qui, en passant, pourrait bien donner la définition du Girondin quand il écrit à son sujet : « Elle demandait des leçons aux événements et à l'expérience plutôt qu'aux doctrines toutes faites » – les Girondins furent en effet l'opposé des doctrinaires conceptuels, le contraire des théoriciens froids, les antipodes des idéologues gouvernant par la terreur. Ils savaient que le réel existait, qu'il primait, que l'idée était à son service, et pas le contraire – a-t-on jamais vu que le réel doive obéir aux idées ? Robespierre ne crut qu'aux idées. Savait-il même que le réel existait ? Il connut le Peuple tout en ignorant le peuple...

Les massacres de Septembre ont montré qu'il existait un danger pour la république avec les Montagnards. On pouvait légitimement penser que Marat et Robespierre étaient moins soucieux de liberté et de fraternité, vertus qu'ils violaient dans les faits avec l'intrigue et le crime, que de pouvoir sur la Révolution. Les Girondins souhaitent exclure ces deux-là de l'Assemblée ; Olympe de Gouges mène ce combat avec eux. Concernant Marat, elle se demande comment « ce cannibale a pu séduire le peuple français ». Avec des sans-culottes armés, Marat force un soir l'appartement des Talma qui avait convié des amis, dont Olympe de Gouges, Vergniaud, Louvet, Chamfort, Benjamin Constant. Menaçant, il a toisé l'assemblée avant de repartir et de dénoncer la préparation d'une république fédérative par ces prétendus ennemis du peuple.

Les Girondins redoutaient que Robespierre ne brigue la dictature. Olympe également. Louvet l'a attaqué à la tribune sur ce sujet. La charge est violente. Robespierre demande du temps pour préparer sa réponse. Avant que celle-ci ne soit rédigée, elle écrit un texte.

Le 5 novembre 1792, elle affiche dans les rues de Paris son *Pronostic sur Maximilien Robespierre, par un animal amphibie*. Elle signe de son anagramme Polyme. Le texte commence de manière terrible : « Je suis un animal sans pareil. Je ne suis ni homme ni femme. J'ai tout le courage de l'un et quelque fois les faiblesses de l'autre. » Il se poursuit avec la même détermination : « Tu te dis l'unique auteur de la Révolution. Tu n'en es, tu n'en seras, éternellement, que l'opprobre et l'exécration. » Et encore : « Ton souffle méphitise l'air pur que nous respirons actuellement. Ta paupière vacillante exprime malgré toi toute la turpitude de ton âme et chacun de tes cheveux porte un crime. » Et puis : « De qui veux-tu te venger ? À qui veux-tu faire la guerre et de quel sang as-tu soif encore ? De celui du peuple. » Et ceci : « Tu voudrais souiller la nation par la réunion de crimes inconnus jusqu'ici. » Et cela : « Tu voudrais te frayer un chemin sur des monceaux de morts et monter les échelons du meurtre et de l'assassinat au rang suprême ! Grossier et vil conspirateur ! » Et ceci encore, qui est une provocation : « Je te jette le gant du civisme : l'oses-tu ramasser ? Trace sur cette affiche le jour, l'heure, le lieu du combat ; je m'y rendrai ! »

Olympe de Gouges en appelle au peuple : il lui faut refuser ce dévoiement de la république ; il doit empêcher ce despote de faire la loi ; il faut que les provinces rompent avec cet homme maléfique ; il faut éviter que Paris soit « le séjour aride des Cannibales », que la capitale ne soit plus que ruine et cendre ; il faut converger vers la cité pour faire cesser la vengeance, qui ne saurait être un motif, et rétablir l'amour de la patrie, qui est le seul motif valable.

Robespierre avait préparé sa défense et eut raison de Louvet à la tribune. Olympe écrivit donc une *Réponse à la justification de Maximilien Robespierre, adressée à Jérôme Pétion*. Elle le prend au mot : il prétend qu'il est prêt à donner sa vie « pour concourir à la gloire et au bonheur de notre commune patrie » ? Elle lui écrit alors ceci : « Je te propose de prendre avec moi un bain dans la Seine. Mais pour te laver entièrement des taches dont tu t'es couvert depuis le 10, nous attacherons des boulets de seize ou vingt-quatre à nos pieds et nous nous précipiterons dans les flots. Ta mort calmera les esprits et le sacrifice d'une vie pure désarmera le Ciel. » Après l'avoir invité en duel, elle l'invite à se noyer avec elle. Il ne répondra pas, du moins pas autrement qu'en l'envoyant bientôt sous le rasoir national.

Toujours plus soucieuse de la liberté que de ce qu'on pensera d'elle, cette femme qui exècre la peine de mort l'exècre pour tout le monde – y compris pour les coupables, surtout pour les coupables. Voilà pour quelles raisons elle se propose d'assurer la défense de Louis XVI dont le procès semble désormais inévitable. Elle dit : « Je crois Louis fautif comme roi, mais dépouillé de ce titre, proscrit, il cesse d'être coupable aux yeux de la République. » À quoi elle ajoute que tuer le roi ferait le jeu de la monarchie en transformant le coupable royal en victime de la vindicte populaire. C'était trop de subtilité dans une époque qui, en ces heures, n'en avait pas et ne voulait pas en avoir.

« La pitié lui fut mortelle », écrit Michelet. Vouloir défendre le roi, pour ses ennemis, c'est affirmer son parti pris pour la monarchie ! Il ne leur vient pas à l'esprit que, dans tout procès équitable, il existe un droit à la défense qui se doit d'être une véritable défense et non une parodie.

La presse s'acharne contre elle, la ridiculise ; les journaux montagnards l'insultent ; la foule se masse au pied de son immeuble ; elle ne se démonte pas et descend à leur rencontre ; un homme s'empare d'elle, lui met la tête sous le bras, lève son sabre et demande à la cantonade qui veut sauver sa tête pour vingt-quatre sous. Calme et drôle, elle dit : « Je mets la pièce de trente sous et je vous demande la préférence. » Elle met les rieurs de son côté, elle sauve sa vie. Pas Louis Capet. Les Girondins demandent le procès du roi et le sursis de l'exécution. La mort est votée. Il est décapité.

Elle écrit une pièce qui célèbre Dumouriez et sa victoire. Il semble que les comédiens aient ourdi une cabale contre elle. La pièce est mal reçue. Plus que jamais, elle veut la paix, la concorde, la fraternité : « Montagne, Plaine, Rolandistes, Brissotins, Girondistes, Robespierrots (*sic*), Maratistes, disparaissez épithètes infâmes ! Disparaissez à jamais et que les noms de législateurs vous remplacent pour le bonheur du peuple ! » Son biographe Olivier Blanc précise à nouveau : « Ses tendances politiques l'inclinaient plus que jamais vers le parti des Girondins. »

Elle échappe à un attentat dans la rue. Elle désire arrêter la politique. L'impression à ses frais de tous ces textes qu'elle fait placarder dans Paris depuis des années lui a coûté une fortune. Elle visite une petite maison en Touraine qu'elle désire acheter.

Pendant ce temps la Gironde tombe. Elle publie à nouveau un libelle pour dire son indéfectible soutien : *Testament politique*. Elle s'offre en holocauste elle aussi et veut rejoindre la charrette des suppliciés : « Frappez, j'ai tout prévu, je sais que ma mort est inévitable. »

Olympe écrit encore *Le Combat à mort des trois gouvernements* dans lequel elle propose que les départements choisissent leur gouvernement parmi trois propositions : « Gouvernement Républicain, Gouvernement Fédéral, Gouvernement Monarchique ». Le résultat du vote du peuple, hommes et femmes confondus, décidera de l'avenir du pays. Le texte publié a pour titre : *Les Trois Urnes, ou Le salut de la patrie*. Il est tiré à mille exemplaires.

Charlotte Corday assassine Marat ; Olympe écrit à son propos : « Une femme monstre vient de montrer un courage peu commun : elle n'a reçu que la récompense de son crime. » Elle ne trouvait donc aucune bonne raison de faire couler le sang, fût-ce pour faire cesser qu'il coule.

Olympe sort dans Paris pour coller son affiche. Dénoncée par la fille de l'afficheur, elle est arrêtée. La police l'interroge. Elle est mise au secret. Son dossier est transmis au Tribunal révolutionnaire. Elle croupit dans la saleté, avec une mauvaise plaie au genou qui suppure. Elle dénonce les conditions de sa détention en disant qu'elle est « attentatoire à la déclaration des droits de l'homme ». Le texte sort de sa cellule et se retrouve placardé sur les murs de Paris.

Fouquier-Tinville l'interroge. Elle est coupable d'inviter les provinces à voter pour choisir la forme du gouvernement qu'elles préféreront puisque, dit le procureur, la République vient de se choisir une et indivisible. Dès lors, la proposition de choisir entre monarchie, république et fédération porte un ferment de guerre civile dans la nation. Elle choisit l'avocat qui s'était proposé pour Louis XVI et qui avait défendu Charlotte Corday.

Marie-Antoinette est exécutée. Puis les vingt et un Girondins. Croyant échapper à la guillotine, elle s'était fait faire un enfant dans sa cellule. Au Tribunal révolutionnaire elle décline son identité et se rajeunit de six ans : elle annonce trente-huit ans, elle en a quarante-cinq. L'avocat n'est pas là. On l'interroge sur différents sujets. Sur Robespierre ? Elle persiste et signe. Fouquier-Tinville nie qu'elle est enceinte. On la conduit au supplice.

On lui coupe les cheveux ; elle se regarde dans un miroir et dit : « Dieu merci, mon visage n'est pas trop pâle, il ne me jouera pas de mauvais tour. » La charrette fit un trajet d'une heure dans Paris avant d'arriver à l'échafaud. Elle fut, dit-on, belle et courageuse comme Charlotte Corday. Olivier Blanc écrit : « Pour son malheur, elle avait pris la liberté révolutionnaire à la lettre et elle le payait cher. » Quinze jours plus tôt, Marie-Antoinette avait laissé sa tête sur ce même échafaud place de la République ; cinq jours plus tard, ce sera Manon Roland ; ce 3 novembre 1793, c'est elle. Avant de mourir au monde, elle dit : « Enfants de la Patrie, vous vengerez ma mort ! » Un badaud dit à un autre : « Voilà une place où, jusqu'ici, on a bien tué de l'esprit ; et on en tuera encore. » La pluie se mit à tomber, lavant à grande eau le sang pur d'une femme libre.

Une dizaine de jours plus tard, son fils, officier de l'armée républicaine, renia sa mère à qui il devait ses avancements dans la carrière. Il n'a pas perdu sa place. Il a vécu. Après la Terreur, il changea d'avis sur celle qu'il avait présentée comme un « monstre » et dit qu'« elle n'était pas républicaine ». N'ayant plus à craindre, il demanda la réhabilitation de sa mère à la Convention. La grandeur ne s'hérite pas.

Manon Roland

Les malheurs de la vertu girondine

Tout en étant l'enfant d'un maître graveur sans fortune de l'île Saint-Louis, à Paris, Manon Roland fut aussi la fille de Plutarque et de Rousseau. Comme le philosophe de Genève, elle fut passion ; comme le penseur romain, elle fut vertu. Passion pour la vertu, vertu de la passion, elle a vécu en romantique, elle est morte en Romaine. Avant de devenir Madame Roland, l'égérie des Girondins, l'épouse du ministre de l'Intérieur dont elle porte le nom, Manon Philipon fit ses écoles dans les livres, et pas les moindres : Plutarque et Rousseau, donc, mais aussi Tacite, Bayle, Montesquieu, Voltaire, D'Alembert, Diderot, Helvétius, D'Holbach, Raynal. Cette femme de cœur fut aussi une femme de tête.

Elle sait lire à quatre ans et retient tout par cœur, dont des passages entiers de l'Ancien Testament. Elle apprend le latin avec un curé, le dessin et le burin avec son père. À huit ans, elle découvre *Les Vies des hommes illustres* de Plutarque. Coup de foudre. Elle devient républicaine, c'est-à-dire amoureuse du bien public et passionnée par l'intérêt général. Au carême 1763, elle va à la messe avec le volume de Plutarque. À cette époque, elle a plus le goût des âmes fortes et de l'idéal patriotique que de l'âme souffreteuse et de l'idéal ascétique.

À onze ans, elle lit Fénelon, le *Traité de l'éducation des filles* est alors une lecture obligatoire. C'est aussi l'âge auquel elle subit les assauts sexuels d'un ouvrier graveur accueilli chez ses parents à la table familiale. Elle s'en confesse au prêtre et à ses parents : le premier exonère le garçon et charge la petite fille transformée en pécheresse, les seconds souscrivent à la réponse de l'enfant qui, culpabilisée par le curé, devient bigote. En vertu de la passion qui l'anime, elle devient mystique, croyante fervente. Elle veut entrer au couvent, à onze ans elle s'y enferme pour une année. Elle envisage une vie religieuse. Elle lit François de Sales, Bossuet, saint Augustin. Mais aussi *Don Quichotte*, le philosophe Condillac et l'historien du roi Mezeray.

Petite fille modèle, elle apprend le chant, la broderie, le violon, la danse, l'arithmétique, la géographie, l'histoire, la guitare. À quatorze ans, la libido la travaille. Elle confesse « une poitrine large et superbement meublée ». Elle pratique les mortifications et couvre ses tartines de cendre. Elle plaint les libertins. Elle lit Corneille, Racine, Molière. L'âme de cette femme qui semble n'avoir jamais été une petite fille se trempe. Elle paraît un mixte de Plutarque et de Bossuet. Plutarque pour la vie droite, Bossuet pour la ferveur religieuse. La vie droite et la ferveur déjà...

À la faveur d'une sortie pour dîner dans un château, elle découvre, disons, la lutte des classes : l'alliance de la bourgeoisie, dont la Révolution française sonnera l'heure, et de l'aristocratie, dont la même Révolution française sonnera le glas, relève pour elle d'« un régime détestable et d'une nation corrompue ». Elle a dix-sept ans. Jusqu'à dix-huit ans, elle souscrit à un jansénisme tempéré par Malebranche. Mais sa conscience politique se forge. À vingt ans, elle affirme son cosmopolitisme : « Un caraïbe m'intéresse, le sort d'un Cafre me touche. » Sa condition de femme lui pèse : elle mesure combien son sexe est tenu pour faible dans une société d'hommes faite par les hommes pour les hommes. À vingt-deux ans, elle souhaite changer d'âme, de siècle ou de sexe : avec son âme et son sexe, elle changera le siècle, du moins, pour sa part, elle en écrira un qui fut solaire et féministe, radical et libre, juste et bon, passionné et vertueux.

En 1774, à Versailles, elle se découvre hostile à la monarchie. Elle se dit républicaine tout en confessant que c'est une chimère – Robespierre attendra 1792 pour n'être plus monarchiste et se dire républicain... Lors des émeutes de la guerre des Farines qui, en 1775, opposent le peuple qui a faim au pouvoir royal qui s'en moque, elle dit comprendre les émeutiers. Turgot persiste dans sa politique libérale, c'est pourtant celle qui affame les pauvres et enrichit les riches : « Quand un homme dit : j'ai faim, c'est un terrible argument auquel seul la subsistance peut répondre. »

Comme un prélude à sa fin, l'exécution publique de deux hommes le 13 décembre 1774 lui fait ressentir de la compassion pour les suppliciés et de l'irritation à l'endroit de la foule venue en masse. On ne sait alors si elle a déjà lu le *Traité des délits et des peines* du magnifique Beccaria paru dix ans plus tôt, mais elle vibre à la même humanité que ce jeune Italien qui invite à abolir la peine de mort.

Le spectacle de la réalité royale l'éloigne de la foi et la rapproche de la vertu : Plutarque lui fait doucement prendre congé de Bossuet. Elle s'éloigne de la religion et commence par douter de la damnation éternelle. Jadis théiste et bigote, elle devient sceptique, puis déiste : elle va vers l'athéisme. Elle se met à danser. Pour ne pas blesser ses parents, elle continue d'aller à la messe.

Son père la conduit à des salons de peinture, elle va à des concerts privés. Elle a dix-huit ans. On cherche à la marier ; elle n'y tient pas ; on lui présente de bons partis. Son père lui laisse rédiger ses lettres de refus. Parlant d'un prétendant médecin, elle dit qu'il était « plus propre à conjurer la fièvre qu'à la donner ». Or, elle veut la fièvre en tout. Le maître graveur voudrait un commerçant ; elle coupe court en affirmant que tout commerçant est un fripon.

Son père sort de plus en plus, travaille de moins en moins ; sa mère souffre de violents maux de tête, elle a du mal à marcher, elle entre en agonie, puis meurt. Manon connaît une semaine de convulsions et reste prostrée huit jours de plus. Toute sa vie, elle somatisera puissamment chaque fois qu'une émotion forte l'atteindra. Or, elle fut une grande passionnée... Un prêtre lui apporte Rousseau, époque bénie : *La Nouvelle Héloïse* la sort de sa torpeur. Avec Plutarque, l'auteur genevois devient le penseur de son existence. Elle sera romaine pour la vertu et genevoise pour les passions.

Elle lit tout Rousseau, bien sûr. Elle tombe amoureuse d'un coureur de filles qui cherche la dot ; elle s'entiche d'un père de famille marié qui a l'âge d'être son père et meurt d'une insolation ; elle se pique d'un administrateur colonial qui part à Pondichéry, lui aussi à l'âge d'être son père ; elle propose « le célibat dans le mariage » à un veuf qui a plus de deux fois son âge. À défaut de la compagnie d'hommes concrets, elle dévore les hommes de papier : Virgile, Pascal, Cicéron, César, Voltaire, Machiavel, Xénophon, Platon. Elle se met à la géométrie, à la physique et à l'italien.

Julie rencontre son Monsieur de Wolmar, elle tâchera d'en faire son Saint-Preux. Célibataire endurci, Jean-Marie Roland de la Platière a quarante-deux ans, il est inspecteur des manufactures. Elle trouve ses traits « plus respectables que séduisants », ce qui ressemble plus à souffler sur des braises qu'à subir un coup de foudre. Elle est fille d'un graveur ruiné, il hésite avec la fille d'un secrétaire du roi. Il a contribué à des livres, il fait partie de salons littéraires, il aime l'Antiquité, il a beaucoup lu, c'est assez pour s'aimer en lui. Il part sept mois en Italie, il rédige des notes, les lui fait lire ; il parle de ses conquêtes féminines là-bas.

Elle semble redouter l'amour physique. Réminiscence du sexe forcé de ses onze ans ? Elle se réfugie dans la flamme de papier, dans l'amour platonique, dans l'Aphrodite céleste. Fiançailles, fâcherie avec le père qui réprouve cette alliance. La fille quitte le domicile paternel et retourne au couvent de sa jeunesse. Elle va avoir vingt-six ans.

Pour reconquérir l'amour de son mari, elle flatte son amour-propre qui, semble-t-il, était grand. Elle se fait accepter par sa famille. Un curé de celle-ci effectue des missions de bons offices avec l'époux. La réconciliation a lieu. Roland la visite au monastère, il succombe à son charme. Mariage. La nuit de noces n'est pas mémorable, sinon en mal. Un enfant naît ; elle allaite. Manon rêvait de Saint-Preux ; elle a Wolmar.

Lui voudrait l'anoblissement ; elle, non, mais elle effectue les démarches pour lui. Ils vivent à Amiens. Elle négocie les droits d'auteur de son mari à Paris, une ville qu'elle aime. Elle corrige ses épreuves, va au théâtre, à l'opéra, visite les imprimeurs de l'*Encyclopédie* à laquelle collabore Monsieur son mari qui a compris qu'elle peut lui être utile pour sa carrière. Elle lui obtient un poste à Lyon.

Elle s'ennuie en province. Lui entre à l'Académie de Lyon ; elle s'occupe de sa fille et de l'intendance. Il professe des discours à la tribune lyonnaise ; elle les lui écrits. Elle élève sa fille selon les principes rousseauistes, mais l'enfant n'est pas un concept ; elle se rebelle ; la mère se cabre devant cette rébellion. Elle mène une existence frugale, paysanne, bucolique, simple, naturelle. Elle effectue un pèlerinage sur les lieux habités par Rousseau en Suisse. Elle rédige un mémoire sur ce voyage mais ne veut pas le publier sous son nom : elle estime qu'une personne de son sexe n'a pas à jouer les femmes savantes. En juin 1789, son mari contracte une sale maladie, il manque de mourir. Les premières heures de la Révolution française ont lieu en même temps que Monsieur Roland se bat contre la mort.

*
* *

1789 l'emballe : « La Révolution survint et nous enflamma ; amis de l'humanité, adorateurs de la liberté, nous crûmes qu'elle venait régénérer l'espèce, détruire la misère flétrissante de cette classe malheureuse sur laquelle nous nous étions si souvent attendris ; nous l'accueillîmes avec transport. » Dès le 12 août 1789, elle publie de façon anonyme des extraits de ses lettres dans *Le Patriote français*, le journal de Brissot. Elle commence un itinéraire politique libertaire si l'on se souvient de l'étymologie : tout à la gloire de la liberté, autrement dit contre l'idéologie et le concept. Elle table plus sur les Constituants que sur la Constituante, donc plus sur les gens qui élisent que sur la machine élue. Elle croit au peuple, à la province, aux gens, aux individus plus qu'aux principes secs sortis des livres. La souveraineté n'est pas une affaire de rhéteurs subtils mais de citoyens engagés.

Ne l'oublions pas : Plutarque n'est pas un idéologue qui pense pour les hommes sans les hommes, mais un moraliste qui invite à l'héroïsme concret. Elle n'a pas confiance dans l'Assemblée qu'elle trouve modérée et timorée. Elle rédige un programme d'actions révolutionnaires à l'usage de la Commune. Elle souhaite alors que celle-ci s'empare de l'argent du trésor royal pour pourvoir directement aux besoins du peuple sans passer par la représentation nationale qui est délégation après abandon de souveraineté.

La fille de Plutarque et de Rousseau joue Sparte contre Athènes : elle souhaite moraliser les théâtres et en finir avec ce qui produit la mollesse, les mauvaises mœurs et l'esclavage – entendre : la propagande de l'idéologie royaliste. Elle se réjouit de la confiscation des biens du clergé. La vie politique locale n'est pas de tout repos. Son mari perd la main quand il veut supprimer l'octroi et le remplacer par l'impôt ; on lui donne raison, puis l'Assemblée de Paris annule sa décision et rétablit l'octroi ; il perd les élections.

Manon Roland se replie sur la révolution concrète d'une République à sa main : elle envisage l'achat d'un vaste domaine ecclésiastique pour appliquer les principes de la philosophie des Lumières auxquels elle croit. Elle projette une exploitation agricole, une papeterie, une imprimerie, une bibliothèque, une salle de réunion, un café, un club patriotique. Brissot théorise la chose et soumet le projet à ses amis. Rien n'empêche qu'en plus de cette action politique libertaire concrète les acteurs ne soutiennent la révolution en cours. Le socialisme français des communautés concrètes trouve ici ses racines.

Les Roland déplorent que la Constituante soit incapable de remettre de l'ordre dans les finances publiques. Manon Roland, cachée derrière son mariage de raison, tombe amoureuse d'un homme avec lequel elle envisage la vie en commun, son mari et elle, lui et sa femme. Autre prémonition de cette version de la communauté...

Roland négocie la dette de Lyon à Paris ; Manon aimerait quitter Lyon pour la capitale. Ils s'y installent le 20 février 1791. Elle revit. Ils rencontrent Pétion et Brissot qui siègent à l'extrême gauche près de Robespierre qui n'est alors pas encore Robespierre – il est alors l'avocat d'Arras monté à Paris et qui caressait l'idée d'une carrière littéraire mais se contentait de trousser de mauvais poèmes lus dans les salons locaux, il est celui qui, en 1789, est contre la Révolution, celui qui, en 1791, défend la loi Le Chapelier qui interdit le droit de grève, le député royaliste qui, jusqu'en 1792, croit en la monarchie, un citoyen que les questions sociales n'intéressent pas, l'homme qui défend « l'inégalité inévitable des biens », le déiste qui croit à la Providence. À cette époque, Manon Roland est républicaine, athée et de gauche. Robespierre est très à sa droite...

Le soir, Manon Roland assiste aux débats à l'Assemblée ; ensuite, elle passe par les Jacobins qu'elle trouve mauvais et leur préfère les sociétés populaires. Elle se rapproche du Cercle social fusionné avec la Confédération universelle des Amis de la vérité. Elle fait l'éloge de la démocratie directe. Elle n'a pas confiance en l'Assemblée constituante.

Elle crée un salon avec des révolutionnaires ; c'est le lieu où se conçoivent les stratégies révolutionnaires : il existe « un génie colérique de la Révolution française » comme l'écrit Michelet, comment donner une forme politique à ces forces libérées le 14 juillet ?

Robespierre est là ; il écoute, silencieux ; il attend son heure. À cette époque, Manon Roland admire Robespierre et cherche à le séduire : Robespierre n'est séduit par rien ni par personne, sinon par lui. Elle constate très tôt qu'on ne peut rien faire avec des individualités qui ne peuvent se rassembler et ne font que se juxtaposer. Cette incapacité du divers à produire de l'unité fera le malheur de ceux qu'on n'appelle pas encore les Girondins.

Varennes fournit un espoir aux républicains comme elle : la fuite du roi pourrait être l'occasion d'en finir avec la monarchie. Condorcet et Manon Roland, à cette époque, veulent la République – pas Robespierre qui, se rongeant les ongles, demande alors, ironique, « ce qu'était une République ». Celui qui n'est pas encore l'Incorruptible convainc Pétion et Brissot de l'inutilité d'une pétition qui demanderait la République, ce qui serait s'inscrire hors la loi. Nous sommes fin juin 1791. Robespierre affirme : « La nation peut être libre avec un monarque » ; avec une pareille phrase, Robespierre s'enverrait lui-même à la guillotine en 1793 !

Manon Roland s'inscrit à la Société fraternelle des deux sexes affiliée aux Jacobins. L'époque est effervescente. Chaque seconde compte. Tout bascule en moins d'une journée. « On vit ici dix ans en vingt-quatre heures », écrit-elle. La lectrice de Plutarque aspire à la guerre civile en croyant qu'elle produit les vertus républicaines. Sur le papier, peut-être ; pas dans la vie... Ils quittent Paris pour la province. L'histoire se fait sans eux.

La Législative remplace la Constituante ; Monsieur Roland n'est pas élu. Brissot réunit autour de lui de brillants orateurs d'extrême gauche et s'empare avec eux du gouvernement de la Révolution française. Ce groupe dit des « brissotins » brille par la rhétorique, emporte les suffrages par le verbe, mais ne dispose pas d'un corpus idéologique. Les Roland reviennent à Paris, l'histoire va vite, ils courent après elle – elle somatise et avoue des pulsions suicidaires. Plutarque sans emploi regorge de bile noire.

Monsieur Roland devient ministre de l'Intérieur : ils couraient derrière l'histoire, l'histoire les rattrape... Les brissotins veulent la guerre : elle obligera le roi à choisir son camp, soit la Révolution, soit la contre-Révolution. Le roi la souhaite, mais pour écraser la Révolution ! Voici donc ce qui ressemble à une alliance objective avec le roi ! Déplorable effet... Les brissotins veulent la guerre contre le roi ; le roi veut aussi la guerre, mais pour sauver la monarchie.

Robespierre comprend l'opportunité de se démarquer : stratège déterminé (il veut diriger la Révolution), habile tacticien (il sait que l'occasion surgit et qu'il faut la saisir), il affirme qu'il est contre la guerre. Dès lors, il passe pour le révolutionnaire alors que les brissotins, futurs Girondins, passent pour les alliés de la monarchie. Jacobins : un ; Girondins : zéro. À partir de ce moment, la machine robespierriste se met en marche : elle se dirige vers la Terreur.

Manon Roland veut rallier l'extrême gauche et les Sociétés populaires à leur cause ; elle approche Robespierre qui refuse : il est en position de force et fait de tout partisan de la guerre un mauvais citoyen. À la tribune, Robespierre enfonce le clou et assimile les Girondins aux monarchistes, à la droite, aux amis de la contre-Révolution, la légende est en marche – nous n'en sommes pas sortis.

Le peuple entre en scène : il a faim. Il n'a pas lu Rousseau, il veut donner à manger à ses enfants ; il n'est pas adepte du *Contrat social*, il veut remplir l'assiette de sa famille. Toujours aux aguets, Robespierre comprend qu'il peut se servir de cette souffrance. Désormais, il va être le Peuple avec une majuscule. Ce fils de robin qui compte dans son ascendance des procureurs, des notaires, des avocats, lui-même avocat, ne craindra pas de dire : « Je suis du peuple, je n'ai jamais été que cela, je ne veux être que cela ; je méprise quiconque a la prétention d'être quelque chose de plus. » S'opposer à lui, c'est donc s'opposer au peuple ; s'opposer au peuple, c'est être partisan du roi.

En juin 1792, Madame Roland rédige une lettre qui refuse au roi son droit de veto bien qu'il lui soit alors une prérogative constitutionnelle. C'est une déclaration de guerre au monarque qui le comprend bien et demande la démission de Roland ; il l'obtient ; l'Assemblée acclame Roland. Les Roland : un ; Robespierre : zéro. Manon écrit de son mari : « Je n'avais pas été fière de son entrée au ministère, je le fus de sa sortie. » Erreur funeste, les Girondins ne poussent pas leur avantage et ne décrètent pas la République. Ils auraient alors pu. Les Girondins n'empochent pas le bénéfice politique ; donc les Montagnards gagnent.

Deux mille sans-culottes vont aux Tuileries et forcent le roi à porter le bonnet phrygien et à boire à la santé de la nation. Le peuple veut manger. Ils veulent que le monarque rappelle les ministres girondins. Refus de Louis XVI. Pétion le Girondin calme le jeu et empêche que l'insurrection ne dégénère. C'est humainement louable mais déplorable d'un point de vue politique : il aurait fallu prendre la tête du mouvement pour donner forme à cette force populaire. Le roi n'a pas lâché ; le peuple n'a rien eu ; les Girondins ont rendu possibles ces deux choses-là. Erreur de tactique.

L'Assemblée a vu ce peuple et son pouvoir ; elle est intimidée par cette puissance et sa potentialité violente. Manon Roland aurait souhaité qu'alors l'Assemblée demande la déchéance du roi. Elle épouse les positions des sans-culottes et exige le départ de Louis. L'Assemblée déclare la patrie en danger. Des fédérés hostiles au pouvoir de Paris arrivent à la capitale. Brissot appelle à la modération. Le roi soudoie des révolutionnaires. Il attend son salut d'une intervention étrangère.

Robespierre avance ses pièces : il veut une nouvelle Convention élue au suffrage universel. Il sait qu'en appeler au peuple lui vaudra ses suffrages. Le 10 août 1792, la Commune insurrectionnelle de Paris attaque les Tuileries : massacre des gardes suisses et des fonctionnaires, pillage, incendie, décapitation et têtes brandies sur des piques. La famille royale est transférée au Temple. La Commune fait désormais la loi en faisant couler le sang. Sous la menace, l'Assemblée lui obéit, elle suspend le roi.

Les Girondins contrôlent l'Assemblée, mais pas la Commune. Robespierre comprend que, pour lutter contre les Girondins qui refusent de faire de la politique en versant du sang, il lui faut s'appuyer sur la Commune qui ne recule pas devant la violence : elle fait arrêter et emprisonner les prêtres insermentés et les journalistes royalistes, elle interdit leurs journaux, saisit leurs presses et les donne aux journalistes révolutionnaires, elle vandalise les statues d'Henri IV et de Louis XIV, elle brise les bustes de Necker et La Fayette, elle emprisonne le roi et sa famille, elle décrète les perquisitions et les visites domiciliaires, elle écarte les opposants.

À la tête d'une délégation de la Commune, Robespierre demande à l'Assemblée la création de Tribunaux révolutionnaires. Elle refuse. Il revient deux jours plus tard et menace d'une nouvelle insurrection. Avouant que la vengeance est un ressort légitime, il dit : « Le peuple est las de n'être point vengé. Craignons qu'il ne se fasse justice lui-même. » Craignant le sang, l'Assemblée lui donne raison. Le Tribunal révolutionnaire est accordé. Les premières têtes tombent dans la nuit du 20 au 21 août. Quelques jours plus tard, la Commune décide d'une opération de police. Monsieur Roland demande une Commune légale et non l'insurrection conduite selon l'ordre de la vengeance. Les Prussiens viennent de prendre Verdun, l'Assemblée laisse la Commune agir selon son bon vouloir.

Si ce qui oppose Girondins et Montagnards ne semble pas toujours très clair à cette époque, il existe un point qui permet une franche ligne de partage : les premiers veulent une révolution sans faire couler le sang, les seconds, en remplissant les caniveaux de l'hémoglobine de tous ceux qui s'opposent à eux. Les premiers sont des disciples de Beccaria l'abolitionniste, les seconds, de Machiavel le cynique.

Dans cet esprit d'une révolution qui s'adresserait à l'intelligence, à l'entendement et à la raison des gens et non à leurs passions tristes, l'envie, la jalousie, la haine, la vengeance, Manon Roland souhaite « un bureau de formation de l'esprit public » afin d'éclairer les opinions dans les départements.

Danton s'appuie sur la Commune. Il sollicite les Roland pour obtenir des fonds spéciaux afin de financer des journaux. Ils refusent. Ils déclenchent son mépris. Marat, membre du Comité de surveillance de la Commune, fait courir le bruit dans *L'Ami du peuple* que des contre-révolutionnaires vont égorger des patriotes. Puis il invite à massacrer de manière... préventive ! Danton invite à l'audace. Les septembriseurs en auront : la Commune massacre à tour de bras à la Force, à l'abbaye et au couvent des Carmes entre le 2 et le 5 septembre et fait plus de 1 500 victimes. Des massacres ont lieu partout en province : Gisors, Marseille, Lyon, Toulon, Reims…

Informé, Roland n'a rien fait, il sait qu'on ne peut rien faire. Il publie une lettre écrite avec sa femme pour dire qu'il démissionnera si sa lettre qui déplore les événements n'est pas suivie d'effet ; la lettre n'est pas suivie d'effet ; il ne démissionne pas. Lui et sa femme reçoivent tous les jours des menaces de mort. Manon écrit : « Vous connaissez mon enthousiasme pour la révolution, eh bien j'en ai honte ! Elle est ternie par des scélérats, elle est devenue hideuse. » Robespierre désigne leurs cibles aux massacreurs de la Commune : ceux qui l'empêchent de prendre la tête de la Révolution. Mais il continue à prétendre qu'il est le Peuple, agit en son nom et pour lui, bien sûr…

Les Girondins en appellent à la province pour contrer le pouvoir de la Commune de Paris. Ils ne sont pas monarchistes, mais révolutionnaires ; ils ne sont pas à droite, mais ils refusent le ressentiment qui se pare des plumes de la gauche ; ils ne sont pas contre-révolutionnaires, mais croient que la Révolution ne doit pas se faire dans un bain de sang.

Le 20 septembre Valmy a lieu, cette victoire donne raison aux Girondins. Le lendemain, la Convention vote l'abolition de la monarchie ; le 22, la République est proclamée. Les Girondins attaquent Marat, Robespierre et Danton qu'ils suspectent de vouloir prendre le pouvoir. Ils veulent que la province existe également et pas seulement le pouvoir de ce triumvirat parisien. « Il faut que Paris soit réduit à un quatre-vingt-troisième d'influence », dit à la tribune Lasource, député girondin du Tarn qui mourra guillotiné avec les autres Girondins.

Danton attaque Monsieur Roland sur sa femme ; il suspecte aussi son intégrité financière. Roland publie ses comptes et confond Danton à son tour. Démagogue, comme toujours, Robespierre crée alors la légende des Girondins représentants les propriétaires et indifférents au peuple.

Louvet, député girondin du Loiret, attaque Robespierre à la tribune. Le coup est rude. L'avocat perruqué et poudré comme un aristocrate demande une semaine pour préparer sa réponse. Il l'obtient. Elle est un chef-d'œuvre de rhétorique en même temps que de mauvaise foi. Robespierre triomphe. Louvet est conspué. Les Girondins entraînés dans le discrédit. Robespierre triomphe dans Paris ; c'est le début du déclin de la Gironde ; nous sommes le 5 novembre 1792.

Manon a trente-huit ans ; elle semble plus belle que jamais ; son vieux mari est toujours à ses côtés ; elle écrit toujours ses textes avec lui. Mais ce que le corps de l'époux ne lui donne pas, celui d'un jeune pourrait le donner. Elle tombe amoureuse de Buzot, un autre Conventionnel girondin député d'Évreux, marié à une femme laide, stupide, plus vieille que lui. La relation restera probablement platonique, mais elle sera très intense.

Pendant ce temps, le roi est au Temple. Faut-il le juger ? Saint-Just et Robespierre affirment que non : il est coupable, il faut le raccourcir sans procès. Il est coupable parce qu'il est roi. Il est loin le Robespierre qui disait encore fin juin 1791 : « La nation peut être libre avec un monarque », ou bien encore : « République et monarchie ne sont pas incompatibles » ! Juger le roi ce serait

admettre que ceux qui l'accusent et l'ont desti-
tué, dont Robespierre, pourraient être coupables.
Impossible, inconcevable. Robespierre parle pour
le peuple, le peuple veut la mort du roi, voilà
pourquoi il la veut. Encore du sang en perspective.

Fidèles en cela à leur refus d'oindre la Révolution
dans le sang, les Girondins veulent régler le problème en faveur de la république, mais pas en
exécutant le monarque. Comment dès lors ne pas
passer, aux yeux de Robespierre et des siens, non
pas pour des révolutionnaires opposés au sang
mais pour des contre-révolutionnaires partisans
du roi ?

Pour tenir les deux bouts de l'éthique de conviction qui exclut la décapitation et l'éthique de responsabilité qui oblige à n'être pas assimilés aux
ennemis de la Révolution, les Girondins refusent
la mort sous prétexte que celle-ci fédérerait les
monarchies étrangères qui attaqueraient la France
révolutionnaire et en finiraient avec la Révolution.
La Gironde est désunie. Pour la mort, contre la
mort, pour la mort mais avec le sursis, donc
contre, pour l'exil, pour le bannissement, pour
les fers...

Ainsi, Vergniaud est contre la mort et dit : « Il
fallait du courage, le 10 août, pour renverser
Louis encore puissant, quel courage faut-il pour
envoyer au supplice Louis vaincu et désarmé. »
Mais le député girondin de Bordeaux devient pour,
impressionné par le refus du peuple qui rejette
la possibilité de l'appel. Buzot est pour la mort,
Condorcet contre, Manon Roland pour la mort
avec l'amendement Mailhe, autrement dit pour
le sursis, donc de fait contre. Pas de position

univoque chez les Girondins ; Robespierre, lui, est pour. Complètement pour.

Le roi est jugé ; il refuse le recours au pathos, à l'émotion ; il veut des plaidoiries techniques. Il ajoute juste qu'il n'a jamais voulu faire couler le sang du peuple : qui peut lui donner tort ? Depuis le 14 juillet 1789, celui que les révolutionnaires présentent comme un tyran, un despote absolu, un monstre sanguinaire, n'a donné l'ordre d'aucun tir ou d'aucunes représailles contre les révolutionnaires. Le 21 janvier 1793, digne et vertueux, chrétien jusqu'au martyre, il monte à l'échafaud. Triomphe des Montagnards et de Robespierre. Illisibilité de la Gironde sur ce sujet. Elle est apparue royaliste en l'occurrence.

Les époux Roland qui ont voulu sauver le roi, non par conviction monarchiste ou ferveur royaliste, mais par humanisme et philanthropie issus des Lumières, passent pour des partisans de Louis XVI. La presse jacobine de Marat et d'Hébert ne recule devant aucun mensonge, aucune vilénie, aucune contrevérité pour salir les Roland. Scatologie, grossièreté, vulgarité emportent le rire de la populace. Ils substituent le couple Roland au couple royal. Cette presse leur prête des repas pantagruéliques dans un Paris affamé, des coucheries et des orgies sexuelles, des usages personnels de l'argent public. On dit que Roland veut quitter Paris pour cacher ses forfaits. Qu'il dissimule ses comptes – c'est faux : il les a publiés. On attaque Manon Roland, dite « la Reine Coco », sur sa sexualité, on traite son mari de « vieux cocu ». Sa femme lui avoue une passion coupable, bien que platonique, pour Buzot. Son mari est dévasté. Camille Desmoulins attaque lui aussi. La fine fleur du journalisme jacobin parle comme un seul homme. Monsieur Roland démissionne. Il ne suffit pas. Marat, Hébert, Desmoulins affirment qu'il faut en finir avec ce couple et les Girondins pour achever vraiment la Révolution. Robespierre laisse faire ; cette meute travaille pour lui.

Le 31 mai 1793 débarque chez eux un Comité révolutionnaire dépourvu d'existence légale. Monsieur Roland le fait savoir. Le Comité repart pour rendre des comptes à la Commune. Manon Roland écrit une lettre pour se défendre, elle veut parler à la Convention. Elle ne le pourra pas. Roland s'enfuit pendant ce temps. Elle rentre chez elle. Une délégation de la Commune l'y arrête vers minuit. Elle est incarcérée le 1er juin 1793.

Dans sa cellule, elle demande un volume de Plutarque, un autre du philosophe Hume et un dictionnaire d'anglais. Elle imagine qu'une fois libérée ils partiront aux États-Unis. Le 2 juin, Marat et Robespierre s'emparent du pouvoir. Le soir, vingt et un députés girondins sont arrêtés : ce coup d'État de Robespierre met fin à l'existence de la Gironde. Manon Roland dit en l'apprenant : « Mon pays est perdu. »

Soixante départements réagissent à l'annonce de cette nouvelle. En Bretagne ; mais aussi en Normandie où Pétion et Buzot trouvent refuge à Caen ; à Bordeaux également. Monsieur Roland a fui Paris, il se cache en Normandie, à Rouen. À Caen, des Girondins se réunissent pour former une armée afin de marcher sur Paris pour réaliser une République fédérative.

Sous la fenêtre de sa cellule, Manon Roland entend la lecture faite à dessein d'un article du *Père Duchesne*. Hébert écrit pour être lu et entendu par elle : « Les Français ne se battent point pour un crâne pelé comme celui de ton vieux cocu et pour une salope édentée de ton espèce. » Puis ceci : « Pleure tes crimes, vieille guenon, en attendant que tu les expies sur l'échafaud, foutre ! »

Contre toute attente, elle est libérée. Mais elle est rattrapée par les délégués de la Commune : le mandat d'arrêt était illégal, ils le savaient, et pour éviter une plaidoirie technique qui se servirait de cette information, ils effectuent cette fois-ci leur mission en y mettant les formes juridiques. Elle est conduite à Sainte-Pélagie.

La disciple de Plutarque sait le moment venu d'être à la hauteur des héros des *Vies des hommes illustres*. Elle y sera. Elle refuse d'abord l'échange d'habits que lui propose Henriette Cannet, l'amie qu'elle se fit au couvent lors de ses jeunes années, afin qu'elle puisse ainsi s'évader – ce qui aurait valu la mort à sa complice. Elle imagine toujours, du fond de sa cellule, qu'elle pourra mobiliser et soulever les départements non pas contre la Révolution et pour les royalistes contre-révolutionnaires, mais contre la dictature montagnarde et les amis de Robespierre.

Sous le commandement de Wimpffen, député de la noblesse au bailliage de Caen aux états généraux, les fédérés marchent sur Paris ; mais ils sont défaits par une poignée de gardes nationaux fidèles aux Montagnards à Pacy-sur-Eure. Venue de Caen, le 13 juillet 1793, Charlotte Corday, elle aussi révolutionnaire girondine, et non contre-révolutionnaire monarchiste, assassine Marat dans sa baignoire. Elle voulait arrêter la tyrannie, elle l'emballera. La Révolution bascule dans la Terreur. Le 2 octobre, la dépouille de Descartes est transférée au Panthéon ; le lendemain, la Convention décide d'envoyer Marie-Antoinette au Tribunal révolutionnaire, donc à la mort. La déchristianisation commence. Descartes aurait-il apprécié ? Peu probable...

Les vingt et un Girondins sont jugés entre le 24 et le 30. Fouquier-Tinville est l'accusateur public. Manon Roland assiste au procès, mais elle n'est pas appelée à témoigner. Les Girondins excellent dans les plaidoiries, nombre d'entre eux sont avocats ; les Montagnards qui voient d'un mauvais œil cette tribune politique de la Gironde raccourcissent le procès et expédient la sentence. La mort. Valazé, député de l'Orne à la Convention, se suicide. Les autres montent à l'échafaud en chantant *La Marseillaise* : des pratiques de royalistes contre-révolutionnaires sûrement...

Manon Roland sait que l'Histoire la regarde ; dès lors, elle regarde l'Histoire en face. Pas question d'une sortie qui ne serait pas certifiée par Plutarque. Elle donne rendez-vous à une amie sur le trajet qui la conduit de la prison à l'échafaud : elle lui demande de se faire la mémorialiste de son courage et de sa détermination, de sa grandeur d'âme et de sa fermeté, de sa résolution et de son énergie, de son sang-froid et de son calme. Elle veut mourir en Romaine ; elle va mourir en Romaine.

Certes, elle connaît Plutarque et Corneille, elle sait qu'elle aurait pu retourner son poignard contre elle et vouloir sa mort. Mais elle ne veut pas échapper au jugement des hommes, même faux, même inique, même injuste. Elle a lu dans sa jeunesse l'*Apologie de Socrate* et sait qu'il vaut mieux subir l'injustice plutôt que la commettre.

Elle ne l'a pas commise, elle la subit, elle ne s'en plaint pas.

En prison, elle écrit ses *Mémoires*. Elle rédige également une lettre à l'institutrice qui va s'occuper de sa fille Eudora. C'est sa dernière lettre. Le 8 novembre 1793, elle comparaît au Tribunal révolutionnaire. Elle s'est apprêtée. Elle va mourir dans une longue robe de mousseline blanche serrée à la taille par une ceinture noire. Elle voit les larmes dans les yeux de l'homme qui l'appelle pour monter dans la charrette et lui dit : « Du courage ! »... Elle avait également rédigé une lettre qu'elle voulait lire pour sa défense au Tribunal révolutionnaire – or c'est le propre du Tribunal révolutionnaire qu'on n'y puisse pas faire valoir sa défense. Elle commence sa lecture, elle est interrompue, elle ne lira rien. La plaidoirie de Chauveau-Lagarde, qui fut aussi le défenseur de Charlotte Corday, ne fut pas prononcée. Manon savait qu'elle ne servirait à rien. Elle est condamnée à mort.

Manon Roland voulait dire ceci à ces Montagnards, à ces Jacobins, à Robespierre et à ses amis : « La liberté ! Elle est pour les âmes fières qui méprisent la mort et savent à propos se la donner. Elle n'est pas pour ces hommes faibles qui temporisent avec le crime, en couvrant du nom de prudence leur égoïsme et leur lâcheté. Elle n'est pas pour ces hommes corrompus qui sortent du lit de la débauche ou de la fange de la misère pour s'abreuver dans le sang qui ruisselle des échafauds. Elle est pour le peuple sage qui chérit l'humanité, pratique la justice, méprise ses flatteurs, connaît ses vrais amis et respecte la vérité. Tant que vous ne serez pas un tel peuple, ô mes concitoyens !

vous parlerez vainement de la liberté ; vous n'aurez qu'une licence dont vous tomberez victimes chacun à votre tour ; vous demanderez du pain, on vous donnera des cadavres, et vous finirez par être asservis. »

Elle retrouve ses codétenus dans sa cellule et porte la main à son cou quand elle rentre : guillotine ! Elle partage un dernier repas avec un condamné à mort, Lamarche, ancien directeur de la fabrique des assignats. Il tremble comme une feuille ; elle le calme et le fait sourire. On leur lie les mains dans le dos. Il grimpe le premier dans la charrette ; elle lui dit : « Tu n'es pas galant, Lamarche, un Français ne doit jamais oublier ce qu'il doit aux femmes. » Pendant le trajet, Lamarche est un pantin démantibulé, disloqué ; elle est digne et droite. La foule est silencieuse. Sur le parcours, elle entend quelques-uns crier : « À la guillotine ! À la guillotine ! » ; elle répond : « J'y vais »... Au coin du Pont-Neuf, elle repère son amie qui sait qu'elle va devenir le scribe de l'Histoire. Elle arrive place de la Révolution – l'actuelle place de la Concorde où seront guillotinées plus de mille personnes dont le roi, la reine et les Girondins. Puis, huit mois plus tard, Robespierre.

Elle devait être guillotinée la première ; Lamarche tremblant toujours, elle demande qu'on abrège ses souffrances : « Je saurai attendre », dit-elle. Elle grimpe sur l'échafaud, regarde la statue en plâtre de la Liberté qui fait face au sinistre dispositif puis elle dit : « Ô liberté, que de crimes on commet en ton nom ! » Sanson actionne le couperet. Elle avait vécu selon Plutarque. Trente-neuf années.

Dans l'édition du *Père Duchesne* du lendemain, jamais rassasié de sang, Hébert rivalise de grossièreté, de scatologie, d'insultes. Quatre mois plus tard, le 24 mars 1794, lui aussi finit sous le rasoir national. Sa femme également, vingt jours après lui. Le lendemain, dimanche 10 novembre, après avoir appris la nouvelle, Jean-Marie Roland se suicide. Michelet raconte : « Il tira sa canne à dard et se perça d'outre en outre. » On l'enfouit négligemment sur un terrain vague : « Les jours suivants, les enfants y venaient jouer, en enfonçant des baguettes pour sentir le corps. »

Le 13, l'amoureux de Manon, Buzot, découvre à son tour la nouvelle dans la région de Bordeaux où il se cachait dans un souterrain avec Pétion. L'un et l'autre se donnent la mort en se tirant dessus mutuellement. Un paysan découvrit les deux corps à moitié dévorés par les chiens et les loups. Plutarque avait encore perdu deux des siens.

Charlotte Corday
Le sublime de l'énergie

Fille de Plutarque et de Corneille plus que de son père aristocrate sans fortune devenu paysan acariâtre et procédurier, Charlotte Corday est une contemporaine du philosophe antique et du tragédien normand auquel elle est apparentée. Elle dira : « Je suis de la race des Émilie et des Cinna. » Que voulait-elle dire par là ?

Charlotte Corday active le sublime cornélien mis en mots par le tragédien : apothéose de la volonté, glorification de l'énergie, célébration de la grande âme, incarnation de l'exception, exaltation du moi, amour de l'idéal, éthique de l'héroïsme, mépris de la morale mondaine, souci de l'exemplarité, désir de la gloire par un grand geste, obsession du destin, mépris de la mort, dédain du triomphe après la victoire, désintérêt magnanime une fois l'histoire écrite.

Le sang de Plutarque coule encore dans les veines de Corneille. Mais, déjà du temps du tragédien vieillissant, ce sublime ne parlait plus à grand monde. Un siècle plus tard, elle montre qu'il n'est pas mort, il suffit pour ce faire d'un seul – et, chez les Girondins, elle ne sera pas seule.

Elle provient pourtant d'un monde qui ne la prédestinait pas à incarner les vieilles valeurs de l'aristocratie de l'âme et non de la particule. Marie Anne Charlotte de Corday d'Armont, plus tard dite Charlotte Corday, naît dans une petite maison à colombages (15 mètres carrés) d'une ferme de l'Orne, à Saint-Saturnin-des-Ligneries, le 27 juillet 1768, d'une mère borgne et bossue et d'un père cadet d'une famille de sept enfants. Elle est baptisée le lendemain. *Corde et Ore* dit la devise de la famille qui n'a pas le sou – *De cœur et de paroles*.

Charlotte Marie Jacqueline de Gautier de Mesnival des Authieux, la mère, accouche de quatre enfants en quatre ans. Elle donnera encore la vie quatre fois. Elle a bien une dot, mais sa famille ne l'a jamais versée ; son mari s'épuise en démarches administratives, en procès, pour que sa belle-famille lui verse ce qu'elle lui doit. Il passe son temps dans les tribunaux et perd tous ses procès. Il en développe une philosophie qui, avant la Révolution, et par certains aspects, ne manque pas d'être... révolutionnaire.

Bien avant les cahiers de doléances et 1789, Jacques François de Corday d'Armont veut en effet l'égalité devant les impôts et trouve inadmissible que le clergé et la noblesse n'y soient pas assujettis ; il est pour l'égalité en matière d'héritage et se rebelle contre le droit d'aînesse qui donne tout au premier venu et rien aux autres ; il est contre le fonctionnement des tribunaux qu'il estime injustes. Il publie des libelles : *L'Idée de procès*, mais aussi *L'Égalité des partages fille de la justice, devint mère de la population, en multipliant les denrées par le travail*. Le père se sentait plus proche des paysans pauvres que de sa famille titrée. En sabots, Charlotte jouait avec les enfants de ces gens de peu.

Dans la famille, on est pauvre, mais pas miséreux. Une jeune fille de seize ans travaille comme aide à la maison. À huit ans, Charlotte n'a pas appris le catéchisme, ce qui renseigne sur le peu de piété dans le foyer. Elle n'a pas plus appris à lire et à écrire, ce qui sera chose faite après qu'elle eut été placée à cet âge chez son oncle curé. C'est à cette époque que l'abbé lui fait lire Corneille – mais pas la Bible... Il lui apprend également la pratique de la charité, et non l'incantation à être charitable.

La famille s'installe à Caen pour habiter rue Basse en 1779 (ou 1780). Son père lit les philosophes, l'*Histoire philosophique et politique des deux Indes* de l'abbé Raynal, ou Rousseau. Les religieuses de l'abbaye disent d'elle qu'elle tiendrait tête à un évêque si elle était sûre de son fait. Charlotte a douze ans. Sa mère meurt en couches à quarante-six ans, le 8 avril 1782. Elle est inhumée le lendemain. Après avoir été refusées aux dames de Saint-Cyr, grâce au roi, ses deux filles sont placées à l'abbaye aux Dames où règne la règle de saint Benoît.

Charlotte rencontre des jeunes aristocrates de son âge et lit énormément. Elle va vivre sept années à l'abbaye. Elle est pieuse, mais à cet âge, dans ces lieux, on n'a pas le choix ; elle est aussi intelligente, vive, joyeuse. Elle fait les courses de l'abbesse en ville ; elle s'occupe également d'un peu de secrétariat. Elle lit beaucoup : Raynal et Rousseau, donc, mais aussi Voltaire, l'auteur de

La Mort de César, et Plutarque, celui d'une *Vie de Brutus*.

L'auteur des *Vies des hommes illustres* lui donne le goût de la République romaine. Elle dira plus tard à ses juges : « J'étais républicaine bien avant la Révolution » – ce qui met à mal la thèse robespierriste d'une Charlotte Corday monarchiste et contre-révolutionnaire en même temps que la thèse contre-révolutionnaire d'une Charlotte royaliste et catholique. Romaine, elle sera girondine et républicaine.

En attendant, le 13 juillet 1788, un orage ravage les cultures de la plaine de Caen. Le blé verse et pourrit sur place. La farine manque ; le pain aussi, donc ; la famine suit ; les révoltes également. Dans une France où trois Français sur quatre ne savent pas lire, les révolutions se font moins avec des idées et des concepts, des philosophes et des penseurs, le *Contrat social*, *De l'esprit des lois* ou l'*Encyclopédie*, qu'avec de gros grêlons qui détruisent le travail des paysans, appauvrissent les pauvres et augmentent la misère des miséreux.

*
* *

À Caen, la Révolution française se fait immédiatement sanglante : dans la capitale normande, futur épicentre de l'insurrection girondine, 1789 ressemble déjà à 1793. Cet orage a donc généré la pénurie de blé. À Paris, Marat fait courir le bruit que Necker, qui a acheté du blé à l'étranger pour nourrir la population française, spécule sur les grains, qu'il veut affamer le peuple et qu'il l'empoisonne avec un pain toxique. Le peuple attaque les boulangeries.

La municipalité prend les devants : elle réquisitionne les grains pour éviter la disette et la famine. Des convois convergent vers le château. Un arrogant vicomte, Denis Joseph Henri de Belsunce, escorte cette noria de charrettes pleines de blé. Il a mauvaise réputation : suffisant, prétentieux, provocateur, il méprise le peuple et fait connaître ses opinions absolutistes ; il a été vu, les armes à la main, menaçant la milice bourgeoise ; il gifle un enfant qui allume un pétard pour manifester sa joie lors du serment du Jeu de Paume ; il a promis à ses soldats qu'il leur offrirait des culottes taillées dans la peau des femmes de Caen.

Le 29 juin, le peuple du faubourg de Vaucelles a élevé une pyramide pour célébrer la réconciliation des trois ordres, Belsunce a menacé de son pistolet des gens qui s'en réjouissaient. La nouvelle de la prise de la Bastille le met en rage ; le peuple se rend au château pour récupérer du grain. À l'état-major, on sait qu'il a le sang chaud, qu'il est déjà à l'origine de quelques échauffourées et qu'il provoque la foule en permanence. On décide de le relever.

Le 11 août, Caen fête l'abolition des privilèges, qui a eu lieu huit jours plus tôt, par une revue, des illuminations et un... *Te Deum*. L'émissaire chargé de remplacer Belsunce tâche de se frayer un passage jusqu'à la caserne cernée par la foule qui croit que Belsunce prépare l'assaut contre le peuple. Un lieutenant sort avec cinq soldats pour calmer les esprits ; il est tué sur le coup ; sa garde rentre promptement.

Le 12 août, la foule est massée devant la caserne. Belsunce propose de se rendre à l'hôtel de ville ; il sort. Sur le chemin, il est attaqué, puis tué. Commence alors la curée : on lui coupe la tête, puis une jambe ; on lui défonce le thorax pour lui arracher le cœur ; un plâtrier de dix-neuf ans joue avec comme s'il s'agissait d'une balle ; on le découpe ; on tranche une oreille que l'on porte chez le pharmacien pour qu'il la conserve dans du formol ; un nommé Hébert découpe la chair et la met sur un gril. Une femme dite La Sosson, mère d'un futur maire de Caen, grille le cœur : Hébert et Sosson mangent la chair de Belsunce.

Puis ils plantent les viscères fumants du vicomte sur une fourche et sa tête au bout d'une pique. La foule va jusqu'à l'abbaye aux Dames, elle brandit la fourche et la pique en escomptant que l'abbesse, apparentée au vicomte, verra ce qu'il est advenu de son neveu. Déchaînée, la populace s'acharne sur les portes, crie, hurle, chante, le tambour bat. *Charlotte Corday assiste à tout cela.*

Elle qui souhaitait la République romaine, comme son père, découvre que la Révolution c'est aussi le sang versé. Ce crime odieux d'un homme funeste fait-il avancer la cause de la République ? Faut-il vouloir verser le sang quand on veut un régime républicain ? Avec les Girondins, Charlotte Corday ne voudra jamais que la fondation de la République oblige au sang versé – voire au cannibalisme...

Le refus girondin de verser du sang va mal avec la Commune de Paris qui, elle, en toute illégalité, le verse sans cesse. Robespierre et Marat instrumentalisent cette populace à laquelle ils prêtent des vertus au point de faire de la vengeance la

Vertu du Peuple – majuscules obligent. La populace, c'est la partie du peuple qui ne pense pas. C'est le bas morceau, comme on dit en boucherie.

Le sang est versé dès le 14 juillet et la prise de la Bastille : cent morts parmi les assiégeants. Launay, le gouverneur de la forteresse, est tué, décapité, sa tête portée dans les rues ; cinq de ses officiers et gardes suisses sont également massacrés. De même, le 22 juillet, l'intendant Foullon, âgé de soixante-quatorze ans, est promené pieds nus dans Paris avec une couronne d'orties sur la tête, on lui donne à boire du vinaigre, il est tué, son cœur est mis au bout d'une épée. Dans un café, son bourreau presse le cœur et en exprime du sang qu'il verse dans son café et celui de ses amis. On massacre aussi son gendre, l'intendant Berthier, pendu à un réverbère – d'où le fameux « les aristocrates à la lanterne »... Après que la corde a cédé, on le décapite. Sa tête coupée est portée au bout d'une pique, du foin dans la bouche.

L'excellent Gracchus Babeuf assiste à la scène. Peu suspect d'être royaliste ou contre-révolutionnaire, ni non plus modéré ou monarchiste, celui qu'on présente comme le père du communisme, le futur auteur de *La Conjuration des Égaux*, écrit une lettre à sa femme : « J'ai vu passer cette tête de beau-père et de gendre, arrivant sous la conduite de plus de mille hommes armés ; le cortège a passé ainsi, exposé aux regards du public, tout le long du faubourg et de la rue Saint-Martin, au milieu de deux cent mille spectateurs qui l'apostrophaient et se réjouissaient avec les troupes de l'escorte, qu'animait le bruit du tambour. Oh ! que cette joie me faisait mal ! J'étais tout à la fois satisfait et mécontent : je disais tant mieux et tant pis. Je comprends que le peuple se fasse justice, j'approuve cette justice lorsqu'elle est satisfaite par l'anéantissement des coupables ; mais pourrait-elle aujourd'hui n'être pas cruelle ? Les supplices de tous genres, l'écartèlement, la torture, la roue, les bûchers, les gibets, les bourreaux multipliés partout, nous ont fait de si mauvaises mœurs ! Les maîtres, au lieu de nous policer, nous ont rendus barbares parce qu'ils le sont eux-mêmes. Ils récoltent et récolteront ce qu'ils ont semé ; car tout cela, ma pauvre petite femme, aura des suites terribles : nous ne sommes qu'au début. » En effet, nous n'étions qu'au début...

Belsunce, Foullon, Berthier, quoi qu'on en pense, et l'on peut en penser pis que pendre, n'ont pas été tués par ce qui aurait pu se présenter comme justice, mais au nom de la vengeance instaurée règle de la vertu par Robespierre qui célèbre en effet « la juste vengeance du peuple » (15 août 1792). La Révolution, quand elle est conduite et menée sous l'empire du ressentiment, qui est passion, et non de la raison, n'est pas révolution, mais punition, vindicte, vendetta, représailles, revanche. On peut donc être révolutionnaire et ne pas vouloir du sang comme preuve d'être un révolutionnaire : quiconque fait couler du sang contre son ennemi est pire que son ennemi, car il lui manque la faculté d'être un homme : être un homme, c'est dire non à toute passion qui nous met en dessous de l'humanité. Dans la Révolution française, les plus grands hommes ont souvent été... des femmes ! Dont Charlotte Corday.

La Révolution l'intéresse. Elle dit à son procès avoir lu « plus de 500 brochures pour et contre la Révolution ». La fille de l'aristocrate pauvre devenu petit paysan et républicain, avant même qu'il soit question de République et de Révolution française, reste partisane de la République et de la Révolution française – mais sans têtes coupées.

L'homme qui a fait profession de faire tomber des têtes par milliers a pour nom Jean-Paul Marat. Il vit à Paris. Ce fils d'un curé sarde défroqué fut jadis, *avant la Révolution*, cambrioleur au musée d'Oxford, condamné aux travaux forcés, évadé, endetté justifiant le vol, médecin exerçant sans formation avec un diplôme acheté, bidouilleur d'expériences scientifiques, quémandeur d'un titre de noblesse, écrivain raté, auteur moqué par Voltaire, franc-maçon en quête de piston, amant promu puis tabassé par le mari trompé, mendiant de pensions auprès de Philippe d'Orléans, futur Philippe Égalité, Charles III en Espagne, Frédéric II en Prusse, vivisecteur à son domicile de quantité de brebis, veaux, cochons et bœufs, anatomiste, toujours chez lui, de cadavres humains. Ça, c'est avant la Révolution.

Après la Révolution, il est devenu « l'ami du peuple », puisque c'est le nom du journal qu'il dirige et dans lequel il invite à faire couler le sang. En juillet 1790, il écrit : « Cinq à six cents têtes abattues vous auraient assuré repos, liberté et bonheur ; une fausse humanité a retenu vos bras et suspend vos coups ; elle va coûter la vie à des milliers de vos frères. » Plus tard, il invite à ce qu'on coupe les pouces des nobles et qu'on fende la langue des « calotins ». Le 19 août, Marat appelle à venger ceux des communards qui sont morts dans l'attaque des Tuileries : « Debout ! Debout ! Et que le sang commence à couler ! »

La Gironde lui reproche d'avoir fait couler le sang. Ses appels perpétuels aux massacres ne sont pas pour rien, en effet, dans la barbarie des septembriseurs. Les 20-23 mai 1790, il écrivait déjà : « Le peuple avait le droit, non seulement d'exécuter quelques-uns des conspirateurs, mais celui de les immoler tous, de passer au fil de l'épée le corps entier des satellites royaux conjurés pour nous perdre, et la tourbe innombrable des traîtres à la patrie, quel que fut leur état et leur degré. » Domestiques compris donc. Député montagnard à la Convention, il appelle à la mort du roi, il invite les ménagères à piller les boulangeries. Les sans-culottes en font leur héros : il attise la violence et, comme Robespierre, prétend parler en leur nom, pour eux.

Le 15 juillet 1791, Marat souhaite qu'on fabrique « une énorme quantité de couteaux très forts, à lame courte et à deux tranchants bien affilés, pour armer de ces couteaux chaque citoyen bien connu comme ami de la patrie ». Le 8 juillet 1792, il appelle « aux exécutions populaires ». En septembre 1792, il demande 40 000 têtes. Le 26 octobre 1792, il en veut 270 000.

Le 26 juillet 1791, dans *C'en est fait de nous*, Marat se propose comme « tribun du peuple soutenu de quelques milliers d'hommes déterminés », autrement dit comme dictateur, pour rédiger une Constitution parfaite en six semaines, rendre la nation libre et heureuse, florissante et redoutable en moins d'un an ; levée de boucliers. Le 26 août, il propose la même chose, mais à partager avec Robespierre et Danton, un triumvirat de dictateurs donc ; pas plus de succès. Il parvient à se faire élire député de la Convention le 9 septembre.

Devenu président des Jacobins le 5 avril 1793, Jean-Paul Marat appelle à l'insurrection populaire et au coup d'État : « Mettons en état d'arrestation tous les ennemis de notre Révolution et toutes les personnes suspectes. Exterminons sans pitié tous les conspirateurs si nous ne voulons pas être exterminés nous-mêmes. »

À Paris, les Girondins font voter contre Marat un décret d'accusation le 13 avril 1793. L'accusé se rend devant le Tribunal révolutionnaire qui est de son bord : il est acquitté. Couronné de laurier, la foule le porte en triomphe. Les Girondins sont arrêtés le 2 juin. Le Tribunal révolutionnaire fait désormais la loi. Les vingt et un Girondins seront bientôt guillotinés. La terreur est déjà là...

Comment Charlotte Corday vit-elle tous ces événements à Caen ? Depuis que la Révolution a fermé les couvents, Charlotte a quitté Caen pour Argentan dans l'Orne où se trouve désormais son père. Elle ne s'entend pas avec lui qui, râleur, procédurier, voudrait changer le monde, mais reste monarchiste, alors qu'elle est républicaine. Elle déboule dans la vie d'une tante de Caen qui ne la connaît pas mais l'accueille. Elle loge 148 rue Saint-Jean, en face de l'église du même nom.

Un soir de Saint-Michel, lors d'un dîner donné dans cette maison, l'assemblée porte un toast au roi. Elle refuse de s'y associer et reste assise alors que tout le monde se lève. Elle estime que Louis XVI n'est pas à la hauteur des événements et qu'il ne fait rien pour supprimer le malheur de son peuple. Elle précise : « Les rois sont faits pour les peuples et non les peuples pour les rois. » Elle sait que, à Caen, on massacre, on tue, on guillotine, on mange de la chair humaine, elle n'ignore pas non plus qu'on viole et tond les femmes qui veulent assister à « la vraie messe ». L'oncle qui lui a appris à lire dans Corneille s'exile ; un autre suit le même chemin ; puis ses deux frères. Elle réprouve l'exil et refuse l'émigration.

Le 4 novembre 1791, juste en face de l'endroit où elle habite, Charlotte voit des adhérents de la Société des amis de la Constitution rentrer armés dans l'église où se dit une messe d'inhumation. Le curé insermenté s'enfuit pour échapper à la mort que lui promettent six gendarmes et quatre cents gardes nationaux. Charlotte écrit : « Le curé eut le temps de se sauver, en laissant dans le chemin une personne morte dont il faisait l'enterrement. »

La ville est le lieu de violences. Quatre-vingts personnes sont incarcérées, dont un autre oncle de Charlotte. À Paris, le Conventionnel Isnard demande qu'on lui livre ces prisonniers pour les juger – autrement dit pour les tuer... Le procureur de Caen, Georges Bayeux, girondin, refuse de les livrer. En janvier 1792, il relâche les prisonniers. Il se retrouve bientôt lui-même emprisonné. Le 6 septembre, on le libère. Sa femme et son fils l'attendent à la sortie de la prison. La foule le massacre, le décapite et met sa tête au bout d'une pique.

Le 12 mai de la même année, le père de Charlotte Corday est lui-même molesté. Il reste monarchiste ; sa fille est républicaine ; il le lui reproche régulièrement. Dans une lettre sans date, mais écrite à cette époque, elle donne son avis sur le roi : elle n'est ni dans la haine, ni dans la vénération, ni dans le mépris, ni dans l'adoration. Certes, elle l'estime plein de bonnes intentions, mais, parce que faible, il ne sait pas faire face à la situation ; il lui aurait suffi de vouloir le bonheur de son peuple pour créer son propre bonheur en même temps ; pour ce faire, il aurait dû « résister aux mauvaises inspirations de la noblesse » qui, elle, c'est entendu, ne veut pas entendre parler de liberté à laquelle le peuple aspire légitimement ; il a tort de « résister à tous les avis que lui donnent les bons patriotes », tort aussi d'écouter ses amis, sa Cour et ses conseillers. Dès lors, on ne peut aimer Louis XVI ; le plaindre, oui, mais pas l'aimer.

Elle déplore la mort du roi le 21 janvier 1793. Robespierre, Saint-Just, Marat voulaient la mort ; les Girondins souhaitaient en appeler au peuple pour obtenir la mort sur le principe, mais y surseoir dans les faits, l'Assemblée n'a pas voulu après que l'Assemblée eut demandé le vote nominal à la tribune.

Dans une lettre qui date de quelques jours après cette décapitation, elle écrit : « Je frémis d'horreur et d'indignation, tout ce que l'on peut rêver d'affreux se trouve dans l'avenir que nous préparent de tels événements. » Puis, plus loin : « Tous ces hommes qui devaient nous donner la liberté l'ont assassinée : ce ne sont que des bourreaux » (28 janvier 1793). Ne pas vouloir la mort d'un homme n'est pas aimer cet homme ou justifier ce qu'il a fait ou ce qu'il est. C'est faire triompher l'humanité, celle à laquelle invite l'Évangile, celle à laquelle invite aussi la philosophie des Lumières, celle de Beccaria par exemple, le grand Beccaria auteur d'un *Traité des délits et des peines* qui théorise l'abolitionnisme.

Le jour où Marat devient président des Jacobins, le 5 avril 1793, l'abbé Toussaint-Jean-Marie

Combault, curé de la paroisse Saint-Gilles, est décapité à Caen. Le prêtre a refusé de prêter serment à la Constitution civile du clergé de 1790 : c'est là tout son crime. Réfractaire, il se cachait ; la troupe l'a retrouvé dans le bois de Mathieu près de la route de la Délivrande. À huit heures du matin, la guillotine est prête. Le curé est aimé, on craint l'émeute, des troupes en armes stationnent près de l'échafaud. La foule a été interdite tant on redoute sa réaction. C'est cet abbé qui accompagnait les condamnés à mort à cet échafaud. Il a les mains liées ; il prie en montant au supplice. On lui tranche le cou. Le clergé constitutionnel de Caen vient ensuite bénir le corps de l'abbé réfractaire. On l'enterre ensuite dans le cimetière des Quatre-Nations. Combault fut le prêtre de la famille Corday : il a assisté les enfants de la famille, il était près de la mère de Charlotte quand elle est morte. La population de Caen est consternée.

Dix-huit députés girondins proscrits après avoir manqué leur accusation contre Marat arrivent à Caen le 12 juin 1793 ; ils rejoignent l'insurrection populaire contre la capitale et logent à l'hôtel de l'Intendance. Charlotte Corday les rencontre à plusieurs reprises. Ce ne sont pas eux qui font l'insurrection girondine, ils la rejoignent. Ils parlent, discourent, tirent des plans sur la comète. Ils composent des chansons à chanter sur l'air de *La Marseillaise* – écrit même Charlotte pour se moquer de ces vers de mirliton...

Le baron Wimpffen doit fédérer les fédérés, ce qui n'est pas une mince affaire. La parade qu'il conduit à la tête de 2 500 hommes doit mobiliser ; or, ce dimanche 7 juillet 1793, elle n'apporte que 17 volontaires... Charlotte Corday constate avec ironie que le compte n'y est pas. Côté Wimpffen, ce que le volontariat ne réussit pas, la corvée l'obtient : 130 hommes constituent le détachement. Pas assez toutefois pour que Charlotte change ses plans. Wimpffen menace de marcher sur Paris avec 60 000 hommes – qu'il n'a pas. Ces rodomontades de garçons sont à des lieues de la grandeur virile qui anime Charlotte Corday. Elle va faire toute seule ce dont cette armée fantôme s'avère incapable.

Le 9 juillet 1793, Charlotte prend la turgotine, une lourde voiture à chevaux, qui la conduit à Paris en quarante-cinq heures. Pendant le voyage, elle se fait courtiser par un homme qu'elle éconduit. Avant de partir, elle a rédigé une *Adresse aux Français* dans le plus pur style romain : elle place son propos sous le signe de la paix et de la loi ; elle affirme ne pas se mettre hors la loi en tuant quelqu'un qui s'est lui-même mis hors la loi ; elle déplore les divisions, les factions, les scélératesses, les ambitions, les fureurs, les égorgements, la tyrannie, les crimes, l'oppression, les insinuations, et tout ce qui montre la prééminence des intérêts particuliers sur « l'intérêt général » ; elle vise la Montagne nommément ; elle craint qu'à ce rythme, en se soumettant sans broncher à deux ou trois monstres assoiffés de sang, la France n'existe bientôt plus : elle donne les noms de Robespierre, Danton et Marat.

Le gouvernement républicain, dit-elle, ne saurait être obtenu par les Montagnards ; elle veut la paix, l'union, la fraternité, l'amitié, la concorde alors que les Montagnards aspirent au contraire : la guerre civile, la désunion et les combats fratricides. Elle écrit : « Je veux que mon dernier soupir soit utile à mes concitoyens, que ma tête, portée dans Paris, soit un signe de ralliement pour tous les amis des lois, que la Montagne chancelante voie sa perte écrite avec mon sang, que je sois leur dernière victime, et que l'univers vengé déclare que j'ai bien mérité de l'humanité, au reste, si l'on voyait ma conduite d'un autre œil, je ne m'en inquiète peu. »

Elle a donc clairement prévu qu'elle allait mourir en tuant ; elle pensait aussi que la foule lui trancherait immédiatement la tête qu'elle ficherait sur une pique pour la montrer dans tout Paris ; elle se moquait enfin de ce que l'on penserait de son geste : elle avait sa conscience pour elle. Elle cite *La Mort de César* de Voltaire, dont ce vers : « Mon devoir me suffit, tout le reste n'est rien. » Jamais femme ne fut plus romaine.

Le matin du 13 juillet 1793, Charlotte range son *Adresse* et son acte de baptême dans son corsage ; elle emporte son nécessaire de couture car elle prévoit que ses habits pourront être déchirés. Elle marche longuement autour du Palais-Royal. Elle se rend au 177, arcade du Palais-Royal dans une échoppe où elle achète un couteau de cuisine avec un manche d'ébène et une virole en argent.

Elle voulait tuer Marat à l'Assemblée, sur les bancs de la Montagne, mais le Conventionnel ne s'y rend plus : malade, eczémateux sur toute la surface de son corps, il pue horriblement et vit dans une baignoire dans un mélange d'eau vinaigrée et d'aromates, la tête recouverte par un linge humide lui aussi vinaigré.

Vers onze heures, elle se rend chez lui au 30, rue des Cordeliers. Deux mégères gardent l'entrée ; elle se fait éconduire ; elle repart à son hôtel ; elle écrit une lettre lui annonçant qu'elle a des révélations à lui faire sur un complot de Girondins à Caen ; elle la lui fait porter ; puis elle y retourne vers sept heures du soir. On lui refuse à nouveau l'entrée. Elle hausse la voix pour que Marat entende ; il l'entend et souhaite qu'on la lui présente.

Elle se trouve face à lui. Il demande ce qui l'amène ; elle parle de ce complot des Girondins de Caen ; il veut les noms, elle les lui donne ; il assure qu'il les fera guillotiner à Paris. Elle sort alors le couteau de son corsage et lui plonge dans le cœur. Marat meurt. C'est réglé. Le Conventionnel sort de la vie ; la Normande entre dans l'histoire.

Simonne, la compagne de Marat à qui il a promis le mariage sans jamais honorer sa promesse et qu'il présentait comme sa sœur pour faire taire les ragots, faisait partie des deux femmes qui filtraient les visites. Marat a juste eu le temps de lui dire : « À moi ! À moi ! Ma chère amie ! » Le sang gicle dans l'eau de la baignoire. Quand on l'a sorti de son bain vinaigré et ensanglanté pour l'allonger sur un lit, il avait déjà rejoint dans le néant les milliers de guillotinés commandités par ses soins.

On ne la moleste pas, on ne la massacre pas, on ne la tue pas sur place. On l'interroge pendant cinq heures. Danton, Robespierre et Desmoulins sont là. Ils voient le cadavre de Marat. Le mort a la bouche ouverte, la langue sortie ; on ne parvient pas à la lui rentrer ; on la coupe. Charlotte descend, sort sous bonne garde, fend la foule, entre dans la voiture qui la conduit à la prison. Elle perd connaissance quelques instants.

Fouquier-Tinville propose de juger l'affaire le lendemain. Autrement dit de faire tomber le rasoir national sur la nuque de Charlotte au plus vite. *Le Père Duchesne* souhaite qu'on invente un supplice pire que la guillotine. Il y eut un temps le projet d'une guillotine à sept places... On fait un masque mortuaire. David, l'homme de toutes les domesticités esthétiques, peint la toile que l'on sait – un beau Marat mort en l'absence de Charlotte Corday... On embaume le corps du journaliste révolutionnaire ; on place son cœur à part dans une urne de plomb. La puanteur qu'il dégageait de son vivant à cause de son extrême saleté et de sa maladie redouble avec la canicule de l'été. Les Montagnards prévoient de montrer son corps à tous les départements. Très vite il commence à se décomposer : jaune, vert, violet, noir... On le place sur un lit de fleurs dans l'église des Cordeliers. Son torse est nu, il faut voir la plaie. On brûle des aromates pour couvrir les odeurs pestilentielles.

Pendant ce temps, dans sa prison, calme, sereine, placide, olympienne, en digne fille de Plutarque et de Corneille, Charlotte recoud ses vêtements, écrit des lettres, compose des chansons. Elle a réalisé son projet ; elle sait qu'elle le paiera de sa mort ; elle n'a pas peur ; elle attend. Les *Annales de la République française* rapportent que, dehors, des femmes veulent la tuer et manger son corps...

Fouquier-Tinville l'entend. Elle a choisi un député de Caen à la Convention comme défenseur. Elle avait songé demander à... Robespierre d'assurer sa défense. Ou à Chabot, un capucin ivre de sang, corrompu et libertin, spéculateur et menteur... Elle savait que la défense au Tribunal révolutionnaire était une fiction.

Charlotte dit ce qui est, et ce qui est n'est pas aveu : elle est venue exprès de Caen à Paris pour

tuer Marat et arrêter les flots de sang. Elle dit :
« On doit croire à la valeur des habitants du
Calvados, puisque les femmes même de ce pays
sont capables de fermeté. » Elle fait de sa victime
le responsable des massacres de Septembre, de la
guerre civile ; elle rappelle qu'il a voulu être dictateur et triumvir ; elle estime également qu'il a
attenté à la souveraineté populaire en arrêtant les
Girondins le 31 mai. Dans son corsage, elle avait
une coupure de presse qui relatait l'événement.
Elle dit avoir agi seule, sans complices, sans en
avoir informé quiconque et ne pas obéir à un tiers,
ce qui supposerait un complot. Seule au monde,
et pour l'histoire, rien d'autre.

Elle assure une fois encore qu'elle est républicaine – des informations que passent systématiquement sous silence les robespierristes et les
contre-révolutionnaires d'hier et d'aujourd'hui.
Mais son républicanisme ne baigne pas dans le
sang, il refuse et récuse la guillotine, il ne passe
pas par la mise à mort au nom de la fraternité,
il n'exige pas les prisons, les tribunaux expéditifs
et les procès au nom de la liberté.

Pendant ce temps, les républicains, qui aspirent
à manger la chair de leur prochain en croyant
que le cannibalisme réalise la vertu et accélère
le bonheur du peuple, préparent une cérémonie
funèbre comme les aimeront les régimes totali-
taires : des flambeaux dans la nuit, des mises en
scène, de longues processions, des corps embau-
més, le culte des morts momifiés, des foules com-
passionnelles, des discours sans fin, des coups de
canon, des détachements de gens en uniforme,
des sectionnaires en larmes, des musiciens qui

jouent des morceaux de circonstance. Des femmes portent la baignoire ; des hommes, le cadavre.

Marat empeste ; il empuantit ; on verse des quantités de vinaigre sur son corps le long du trajet. Son bras était resté raide ; on le lui a coupé ; on le remplace par celui d'un autre mort ; on le dissimule sous le drapé ; lors de la procession, le membre tombe à terre. Le corps et le torse sont badigeonnés de blanc pour dissimuler les couleurs brunes de la putréfaction. Un enfant de cinq ans suit le corps avec, dans une main, un flambeau, dans l'autre, une couronne civique ; il s'évanouit.

Ce culte de la charogne, de la mort, des cadavres, qui va de pair avec le goût du sang versé, la passion de la guillotine, le culte de la pique des sectionnaires, la furie des massacres, contraste puissamment avec le monde de Charlotte qui, placide, attend son heure.

Elle n'a pas peur de la mort, ce qui est toujours le cas quand on a réalisé son destin. « J'ignore comment se passeront les derniers moments et c'est la fin qui couronne l'œuvre », écrit-elle quelques heures avant de monter à l'échafaud. Ce qu'elle pourrait craindre n'est donc pas la mort, mais une vie qui ne soit pas à la hauteur. « La cause est belle », écrit-elle à son père le 16 juillet 1793. Et plus loin : « N'oubliez pas ces vers de Corneille : Le crime fait la honte et non pas l'échafaud. »

Son procès se tient le 17 juillet 1793. Charlotte Corday se retrouve devant le Tribunal révolutionnaire qui n'a pas mandaté son avocat... Plaisante justice révolutionnaire ! À Fouquier-Tinville elle dit : « J'étais républicaine bien avant la Révolution et je n'ai jamais manqué d'énergie. » Le Tribunal lui demande ce qu'elle entend par énergie ; elle répond : « Ceux qui mettent l'intérêt particulier de côté et savent se sacrifier pour leur patrie. » On lui demande si elle s'est entraînée au geste mortel tant le sien fut net, précis, sans bavure et efficace. Elle dit : « Oh ! Le monstre, il me prend pour un assassin. »

L'avocat commis d'office par le Tribunal révolutionnaire plaide à charge : elle a prémédité son acte, elle a avoué, elle n'a pas de remords, elle est calme et sereine, il s'agit donc d'une fanatique ! Le président du Tribunal a préparé les questions auxquelles le jury doit répondre. Il a supprimé l'accusation de *contre-révolutionnaire* qui vaut directement la mort à l'accusé. Fouquier-Tinville le fusille du regard. Charlotte est tout de même condamnée à avoir la tête tranchée. Le président est incarcéré quelque temps plus tard. Thermidor le sauve.

Charlotte Corday meurt comme elle a vécu : à la hauteur. Elle refuse de s'asseoir dans la charrette qui la conduit au supplice. Elle a les cheveux coupés et porte la robe rouge du parricide ! L'orage gronde ; la pluie tombe ; elle est trempée. Le bourreau Sanson actionne sa machine. La tête chute dans le panier ; il la prend par les cheveux et la gifle à trois reprises. Des cris de protestation se font entendre dans la foule. On dit qu'elle a rougi.

Charlotte Corday avait vingt-cinq ans ; elle n'avait jamais connu d'hommes dans sa courte vie, ce que montra son corps découpé par un médecin légiste. Mais elle eut un amoureux post mortem : Adam Lux, un philosophe. Il avait assisté à son exécution. Fasciné par sa grandeur d'âme, il a pris la défense des Girondins, puis de Charlotte pour laquelle il voulut édifier une statue avec pour inscription : « Plus grande que Brutus. » Il fut emprisonné, puis condamné à mort. Lux s'est réjoui d'apprendre qu'il serait guillotiné le 4 novembre de la même année.

Quelques semaines après la mort de Charlotte Corday, le marquis de Sade, désormais citoyen Louis Sade, fait oublier son titre et ses crimes de libertin féodal en la couvrant d'injures. Sa conversion à la Révolution est de pur opportunisme : le 22 mai 1790, le prétendu divin marquis s'insurge contre « les potences démocrates » ; il est fâché que Louis XVI soit en prison ; il appartient jusqu'en 1791 à la Société des amis de la Constitution monarchique ; dans une lettre à Gaudifry datée de la même année, il dit haïr le « jacobite » et adorer le roi, il veut qu'on rende son lustre à la noblesse, il souhaite que le roi soit le chef de la nation, il ne veut pas d'Assemblée nationale ; en 1792, ce prétendu révolutionnaire offre ses services à la garde constitutionnelle du roi.

Sade devient commissaire à la Section des Piques le 25 octobre de la même année, à la suite de la dévastation de son château et après qu'il eut appris que son nom figurait sur des listes de suspects. « Aucun reproche d'incivisme ne peut m'être fait », écrit-il à la Section des Piques quand il y entre en octobre 1792. En effet...

La vulgate dit de Sade qu'il fut abolitionniste ; elle oublie qu'il l'est quand il croupit dans la prison de Picpus en juillet 1794. Or, sous sa fenêtre, il assiste chaque jour au carnage de la guillotine : 1 800 morts en trente-cinq jours... Dans *Français, encore un effort si vous voulez être républicains*, il se dit partisan de l'abolition, mais, dans le même texte, il se réjouit des décapitations de Louis XVI, de Marie-Antoinette, de Charlotte Corday, il loue également le courage (!) qu'eut Le Peletier de Saint-Fargeau de voter la mise à mort du roi... Pour un abolitionniste, c'est fort !

Pour l'heure, Sade rédige le *Discours prononcé à la fête décernée par la Section des Piques aux mânes de Marat et de Le Pelletier* le 29 septembre 1793. Marat est donc un héros : grand homme au front auguste, philanthrope ami de l'humanité, sublime martyr de la liberté, âme noble au civisme désintéressé, compagnon du peuple désireux du bonheur de tous, il fut, écrit Sade sans honte, l'« heureux modèle de toutes les vertus »...

Quant à Charlotte Corday, dont le nom n'est même pas prononcé, elle est « le barbare assassin de Marat, semblable à ces êtres mixtes auxquels on ne peut assigner aucun sexe, vomi par les Enfers pour le désespoir de tous deux, n'appartient directement à aucun. Il faut qu'un voile funèbre enveloppe à jamais sa mémoire ; qu'on cesse surtout de vous présenter, comme on ose le faire, son effigie sous l'emblème enchanteur de la beauté. Artistes trop crédules, brisez, renversez, défigurez les traits de ce monstre, ou ne l'offrez à nos yeux indignés qu'au milieu des Furies du Tartare ».

La pauvre Charlotte crut que son geste arrêterait la folie meurtrière des Montagnards ; elle s'est hélas trompée, ils en prirent prétexte pour accélérer le mouvement. La Terreur s'emballa. Elle fit 40 000 morts en quatorze mois. Brissot y perdit la tête, les Girondins aussi, Danton y perdit la tête, les dantonistes aussi, Hébert y perdit la tête, les hébertistes aussi, Cloots y perdit la tête, les athées aussi, Robespierre y perdit la tête, les robespierristes aussi, dont Saint-Just. Sade fut sauvé par Thermidor !

Jean-Paul Marat n'a jamais tué personne et n'a fait qu'appeler au meurtre de masse pendant toute sa carrière de journaliste. Il ne s'est jamais mis en danger et n'a participé à aucune des tueries qu'il a excitées par son verbe dément. Il a inventé le journalisme haineux et engagé. Il s'offusquait quand on lui contestait le titre de philanthrope !

Marat fut panthéonisé en novembre 1793 ; on l'installa dans les murs du Panthéon le 21 septembre 1794 ; on l'en sortit le 8 février 1795. Ses restes ont été jetés aux égouts. *Sic transit gloria mundi.* En 1921, un cuirassé russe devenu soviétique a perdu son nom de baptême tsariste pour prendre celui de Marat. Lénine avait des lettres.

Théroigne de Méricourt
La liberté par les femmes

On dit que, devenue folle, la révolutionnaire girondine Théroigne de Méricourt n'eut de cesse, pendant vingt-trois années, de laver de manière réelle et métaphorique le sang du journaliste royaliste François-Louis Suleau – un sang qu'elle aurait versé le 10 août 1792 après qu'il l'eut agonie d'injures pendant plusieurs années dans sa feuille les *Actes des Apôtres*. Vêtue d'une robe d'amazone en tissu bleu, coiffée d'un feutre à la Henri IV orné de grandes plumes noires, une paire de pistolets et un poignard à la ceinture, Théroigne l'aurait reconnu aux Tuileries sur la terrasse des Feuillants. Elle l'aurait alors appelé « l'abbé Suleau », ce qui aurait eu pour effet de précipiter la foule sur lui avant qu'elle ne le passe au hachoir de ses lames et couteaux, de ses sabres et de ses piques, lui et huit autres de ses compagnons. La tête de Suleau fut coupée et portée au bout d'une pique, son cadavre fut jeté place Vendôme. Depuis les propos des aliénistes du XIXᵉ siècle jusqu'à ceux d'une psychanalyste robespierriste qui, sans craindre le paradoxe, s'appuie sur la presse royaliste de l'époque pour penser le cas Théroigne de Méricourt, cette version fait la loi.

Certes, la Révolution française a souvent pris le masque des grandes idées qui dissimulait parfois mal les inévitables passions tristes – envie, jalousie, haine, rancœur, méchanceté, ressentiment, la panoplie des petites personnes. Bien sûr, les journalistes, déjà, faisaient un mal terrible en insultant leurs adversaires : la presse jacobine fut immonde avec la reine dont elle fit une débauchée, incestueuse avec son petit garçon, entre autres joliesses, pendant que la presse royaliste se comportait de même avec les femmes révolutionnaires transformées en Marie-couche-toi-là, en vérolées couvertes de pustules et en laiderons édentés et cacochymes.

Parmi tant de titres, *Le Père Duchesne* à « gauche » et les *Actes des Apôtres* à « droite » ont longuement préparé le terrain à l'échafaud avec leurs saillies verbales. Tuer avec les mots c'est tuer lentement, petitement, mais sûrement, et rendre possible un jour, quand l'histoire le permet, le meurtre en bonne et due forme. L'encre sait parfois appeler le sang.

À l'évidence, Théroigne de Méricourt fut plus souvent qu'à son tour traitée de tous les noms, salie, vilipendée, moquée, insultée, méprisée. On eût pu comprendre qu'elle ait envie de rendre à Suleau la monnaie de sa pièce royaliste en participant à l'hallali, ne serait-ce qu'en le déclenchant après l'avoir appelé *l'abbé* ! Mais rien ne dit qu'elle ait dit ceci, ni fait cela ! Elle était là, c'est sûr, mais qu'a-t-elle vraiment fait et dit ? Nul ne saura…

Cette vulgate veut également qu'elle soit devenue folle après une fessée publique infligée cul nu le 15 mai 1793 par des femmes jacobines qui soutenaient Marat. À la Salpêtrière, plusieurs fois par jour, déclarée folle, elle inondait son lit en y versant compulsivement des seaux d'eau. Impossible lustration du sang de la Révolution française, écrivent les charlatans freudiens. Certes, Théroigne fut très tôt d'une complexion psychologique fragile. Mais elle eut des raisons, et de bonnes raisons. On ne naît pas fou, on le devient.

Ce nom de Théroigne de Méricourt n'a jamais existé que sous la plume des royalistes qui, singulièrement, ont ainsi forgé le mythe d'une femme à particule qui aurait pu être des leurs. En fait, elle s'appelait Anne-Josèphe Terwagne et elle est née à Marcourt le 13 août 1762 dans une famille de paysans aisés de la campagne liégeoise – en Belgique d'aujourd'hui. Suivent deux garçons. Sa mère meurt lors de sa troisième grossesse, elle a alors cinq ans. Sa tante la place dans un couvent jusqu'à sa communion. Puis, se mariant, cette tante la sort du cloître pour en faire sa bonne à tout faire. Son père n'en a que faire ; il s'est remarié et fera une dizaine d'enfants à sa nouvelle épouse. Elle est également maltraitée par sa belle-mère. Son père est ruiné. Elle part avec ses frères ; elle a treize ans. Elle trouve refuge chez ses grands-parents qui, eux aussi, la maltraitent. Elle revient chez sa tante qui, il n'y a pas de raison, ne la traite pas mieux.

Elle n'a pas vingt ans, elle a perdu sa mère très tôt, elle a été abandonnée par son père, puis récupérée par une tante sadique, elle a été maltraitée par sa belle-mère, puis, placée chez ses grands-parents, et à nouveau maltraitée : à quoi peut bien ressembler la vie d'un être qui commence sans amour avec tant de haine familiale ? Comment s'étonner qu'elle puisse un jour revendiquer le statut d'Amazone et s'habiller comme l'une d'entre elles ?

On peut imaginer qu'elle apprit ce que furent les Amazones en lisant la *Vie de Thésée* de Plutarque – ce qui en ferait, outre Madame Roland, une autre lectrice des *Vies des hommes illustres* pour qui le philosophe fournissait des modèles existentiels en pleine Révolution française. Elle aura donc pris modèle sur des femmes qui vivaient en régime matriarcal, se coupaient le sein droit pour mieux tirer à l'arc, se faisaient féconder par de beaux hommes juste pour reproduire leur cheptel, tuaient la moitié des enfants mâles, à moins qu'elles ne les rendent aveugles ou boiteux, et gardaient l'autre pour leur domesticité après les avoir émasculés. Disons qu'elle choisira de se mettre sous le signe des femmes qui n'ont pas peur des hommes – un ravissement pour les hommes qui savent l'être véritablement. Mais il n'y en aura pas...

Théroigne devient vachère, puis gardienne d'enfants, enfin domestique dans une auberge où elle se fait remarquer par une dame de passage qui en fait une demoiselle de compagnie pour sa fille en Angleterre. Elle apprend à lire et à écrire, à chanter, à jouer du pianoforte. Elle accompagne la jeune fille de sa famille d'accueil dans quelques pièces de chambre. Elle envisage alors une carrière artistique. Ces quatre années seront une parenthèse dans ces débuts d'existence où on lui montre partout qu'elle est quantité négligeable.

À vingt ans, elle rencontre un jeune officier anglais qui n'est pas majeur auquel elle résiste un an – dit-elle. Mais elle finira par succomber, car une petite fille voit le jour. Placée en nourrice ; elle ne semble pas retenir l'attention de sa mère et meurt de la variole en 1788. Son jeune amant la conduit à Paris et se montre alors sous son vrai jour : un libertin qui souhaite lui faire partager ses parties fines. Commence alors une vie de galanterie, de bohème. Elle rencontre un vieux monsieur masochiste, un marquis, qui la couvre de bijoux et de cadeaux. Elle lui fait placer l'argent qu'il lui donne. Il la couvre de diamants. Froide, elle se prête probablement, mais ne se donne jamais. Jeune fille entretenue, elle roule avec équipage. Elle s'éprend d'un ténor et le suit en Italie. L'affaire tourne court. Changement de tessiture, elle a une aventure avec un castrat. Qui tourne mal, bien sûr, aussi.

Théroigne souffre de syphilis. Ceux qui écrivent sur sa folie ont souvent recours aux fictions freudiennes pour expliquer comment et pourquoi elle passe de l'autre côté du miroir. Bien sûr, ils ne prennent jamais en considération l'évolution de cette maladie sexuelle qui, dans son stade évolutif terminal, le tabès, produit cette dégradation vite classée dans la rubrique *folie*. Quand après de longues années d'hospitalisation psychiatrique, elle mange ses matières fécales, mais aussi la paille de sa couche ou les plumes de son oreiller, il n'est pas forcément utile de croire, comme Madame Roudinesco, qu'elle procède à « une dévoration cannibalique de l'idéal (révolutionnaire) perdu », il peut juste s'agir de l'effet du tréponème... Pas besoin de chercher le midi syphilitique à quatorze heures du divan.

Abandonnée par sa famille, maltraitée par les siens, transformée en objet sexuel par les hommes, y trouvant parfois au passage quelques avantages sonnants et trébuchants, mère abandonneuse après avoir été fille abandonnée, elle avait de bonnes raisons d'être *mélancolique*, comme on dit dans la nosologie psychiatrique. Une bonne mélancolie finit toujours par faire une excellente pathologie d'un type freudien.

Or Théroigne souffre aussi de douleurs au dos, de fièvre, de migraines, de nausées, de vomissements à cause du traitement de sa syphilis au mercure. Œdipe ne fait rien à l'affaire... La horde primitive non plus, le banquet cannibale également... Le corps a ses raisons que l'inconscient ne connaît point.

Elle séjourne un an à Gênes et fréquente les salons. Elle voyage en Italie. Sa vie n'est pas réjouissante. Elle est malade, elle souffre des traitements de cette pathologie incurable et sexuellement transmissible. Elle a vingt-sept ans.

*
* *

La Révolution française est pour elle une révolution personnelle, existentielle, radicale et subjective. Ce qu'elle sera n'est pas sans entretenir une relation avec ce qu'elle fut jusqu'à cet âge, évidemment. Amazone et révoltée, libre et décidée, enthousiaste et exaltée, elle dira un jour son fait aux hommes et proclamera en septembre 1793, après déjà tant de sang versé, qu'elle veut la vie contre la mort, l'unité contre la discorde, la fraternité contre la haine, l'égalité des sexes (girondine) contre la misogynie et la phallocratie (montagnarde), l'amour de son prochain contre sa décapitation. Elle a voulu une Révolution française sans testostérone alors que ce grand moment de l'histoire de France fut si souvent l'effet d'une production hormonale machiste et patriarcale.

Pour être assidue aux séances de l'Assemblée, elle loue un logement à Versailles. Elle assiste aux délibérations concernant la Déclaration des droits de l'homme et du citoyen. Mirabeau, qu'elle n'aime pas, parle de l'esprit de tolérance, Sieyès, qu'elle aime, de la nécessité de lier la Constitution à la religion, Rabaut Saint-Étienne, qu'elle soutient, de la liberté pour les juifs. Ces débats sont ses universités. Elle dit y naître à elle-même politiquement : « Je fus persuadée que la justice et le bon droit étaient du côté du peuple. »

Le 6 octobre 1789, elle ne fait pas partie de ceux qui vont aux Tuileries : des femmes ont quitté Paris pour Versailles. Le trajet à pied prend alors cinq heures, avec les enfants, la pluie et la boue. Au noyau du départ s'agrègent des femmes : elles sont plusieurs milliers à l'arrivée, certaines sont armées de piques. Elles entendent faire savoir au roi que la vie est chère, que le pain manque et que la disette affame le peuple.

Elle va à l'Assemblée et assiste avec assiduité aux travaux de la Constituante. Après les travaux de l'Assemblée, elle reçoit chez elle Desmoulins, Sieyès, Pétion, Brissot, Barnave, Cloots, Chénier, Romme. À l'époque, elle est « la belle Liégeoise ». Avec la célébrité vient la haine. La presse royaliste commence à se déchaîner contre elle. C'est le début d'une longue propagande pour faire d'elle la pire des femmes – sanguinaire, prostituée, vendue, virago, hystérique, espionne... C'est de cette époque que, pour la fustiger, cette même presse transforme Anne-Josèphe Terwagne en Théroigne de Méricourt, au risque, avec cette particule, d'en faire l'une des leurs, ce qui aurait aussi l'avantage d'en faire une traîtresse.

Théroigne songe à une Société des amis de la loi. Elle va être créée le 10 janvier 1790 avec le mathématicien Gilbert Romme et durera quatre mois. C'est l'occasion de rassembler moins d'une trentaine de personnes pour penser ce qui va être proposé ensuite à l'Assemblée. Un club où les intelligences se frottent dans la perspective de créer les occasions du bien public et de l'intérêt général. Théroigne croit aux débats, aux échanges et à la loi. Rien d'une furie qui règle les problèmes au sabre. Elle prête son appartement pour ces rencontres.

Le 27 janvier 1790, les Amis abordent les questions du marc d'argent : pour être éligible à l'Assemblée, la Constituante avait décidé en octobre 1789 qu'il fallait être propriétaire d'un marc d'argent, ce qui représentait une somme considérable. Théroigne et les siens souhaiteraient abroger cette clause – elle le sera le 27 août 1791. Les Amis abordent dans leur séance suivante la question juive : ils souhaitent que les Juifs soient des citoyens à part entière – la loi sera promulguée le 28 septembre 1791, elle concernera aussi « les Musulmans et les hommes de toutes les sectes ». Une autre séance concerne la liberté de la presse – elle est inscrite dans la Déclaration des droits de l'homme, la Constitution de 1791 la réaffirmera, mais le 12 août 1792, la Commune de Paris, qui a la sympathie de Robespierre, et vice versa, interdit les journaux dits contre-révolutionnaires. La liberté de la presse sera rétablie après la chute de Robespierre. République non censitaire, émancipation des juifs et liberté de la presse, le combat girondin se dessine dans ces moments-là. Théroigne en est.

Lors d'une séance, Théroigne pose la question des femmes. L'un des membres de la Société défend une position conservatrice : les femmes doivent être soumises à leur mari comme les enfants à leur père. Elle refuse cette théorie et souhaite y opposer un mémoire. Personne ne la suit... Elle n'écrira pas son texte et ne défendra pas sa cause. La Société des amis de la loi connaît déjà, sur d'autres sujets, des dissensions, des tiraillements entre les modérés et les révolutionnaires. Fin mars, la Société n'existe plus. Théroigne est plus que jamais dans la défense de la cause des femmes.

Puisque la Société des amis de la loi n'est plus, elle cherche à entrer au Club des Cordeliers où elle est admise à prendre la parole. Camille Desmoulins souscrit à la motion qu'elle propose lors de cette intervention : construire un temple de la nation sur le lieu même de la Bastille rasée ! Avec Danton et Fabre d'Églantine, le journaliste examinera la faisabilité du projet architectural – qui n'aboutira pas... Théroigne voulait disposer d'une voix consultative au Club des Cordeliers, elle ne l'obtiendra pas.

Elle envisage donc de créer le Club des droits de l'homme pour défendre les valeurs auxquelles elle croit : fraternité, justice, bonnes mœurs, vertu, défense des opprimés par l'éducation qui leur permettrait de connaître leurs droits. Elle ne parvient pas à rassembler autour d'elle.

La presse royaliste l'attaque et la moque. Elle lui fait une réputation de séditieuse. Si l'on devait l'en croire, Théroigne aurait été présente aux journées d'octobre qui ont vu le couple royal humilié et menacé par la foule des femmes venue de Paris. Les ragots s'ajoutant aux rumeurs, certains finissent par dire qu'ils l'ont bien vue ce jour-là. Les uns, habillée en noir, les autres, en rouge. Elle risque le procès et la prison.

Pendant ce temps, Condorcet, philosophe majeur auxquels les Lumières d'avant lui font hélas de l'ombre, défend la cause des femmes. Mathématicien, académicien, philosophe, inspecteur des monnaies, ami de Voltaire et D'Alembert, célèbre dans toute l'Europe des Lumières, Condorcet a lutté pour les femmes, donc, mais aussi pour l'abolition de l'esclavage et de la traite des noirs, pour la reconnaissance des Juifs et des Protestants, pour l'abolition de la peine de mort, pour « rendre la philosophie populaire », selon l'expression de Diderot, avec une défense de l'instruction publique. Grande figure de la Gironde, il vote contre la mort du roi et rédige un projet de Constitution extrêmement démocratique, il se bat pour l'union des républicains. À plus d'un titre, Théroigne semble un Condorcet fait femme.

Condorcet monte à la tribune du Cirque du Palais-Royal pour le Cercle social, pour la fédération des amis de la vérité. Il pointe l'évidence qu'une Déclaration des droits de l'homme oublie la moitié de l'humanité en ne parlant jamais des femmes ; que la moitié du genre humain ne peut donc contribuer à la création des lois qui concernent la totalité des humains ; que les femmes ayant les mêmes qualités que les hommes, elles devraient avoir les mêmes droits qu'eux ; que la constitution physique des femmes, leurs grossesses ou leurs indispositions, ne sont en rien un argument contre elles ; qu'elles disposent d'une raison semblable à l'autre partie du genre humain mais que l'usage qu'elles en font est socialement déterminé ; que le souci qu'elles ont de leur apparence et de leur mise est un effet de culture, un produit de la volonté des hommes et non une nature – en conséquence de quoi il faut cesser de ridiculiser leur combat légitime pour l'égalité des sexes. Théroigne n'est pas seule. Cet illustre Girondin emblématique se distingue des Montagnards misogynes et phallocrates. François Chabot, un ancien capucin devenu libertin, prévaricateur, escroc, calomniateur, jacobin, membre du Comité de sûreté générale, violemment anti-Girondin, dénonça Condorcet à la Convention. « Le dernier des philosophes », comme disait Michelet de lui, dut se cacher avant de se suicider pour échapper à la guillotine.

Le discours de Condorcet au Cercle social a beaucoup fait parler. Un club mixte voit le jour en février 1790 : la Société fraternelle des deux sexes. Un homme en est à l'origine, Claude Dansard ; Théroigne en fait partie. Elle est revenue à Paris. En mars 1791, Etta Palm d'Aelders, une plantureuse Néerlandaise de quarante-sept ans, crée le premier club féminin : la Société patriotique et de bienfaisance des amies de la vérité.

Fatiguée de devoir faire face, sur sa gauche, aux patriotes montagnards misogynes et phallocrates, sur sa droite, aux royalistes contre-révolutionnaires insultants et malveillants, elle décide de quitter la France pour retrouver la Belgique.

À Marcourt, dans son village natal, elle exporte la Révolution ! Elle apprend des chansons patriotiques aux paysans dans les veillées, elle bataille contre le meunier qui gruge les paysans, elle entreprend le curé contre la dîme, elle trouve des vêtements pour les pauvres, elle vend des bijoux, elle envisage de créer un journal républicain.

De même, elle cherche un lopin de terre à acheter ; elle est accueillie par un royaliste contre-révolutionnaire qui imagine qu'elle a été envoyée par les Jacobins pour fomenter le renversement de la monarchie autrichienne (dont dépend alors cette terre) avec les patriotes liégeois. Finalement, elle sympathise avec la jeune femme de ce vieux baron qui a le même âge qu'elle et partage son goût pour la liberté. À l'époque, elle lit les philosophes antiques, Platon et Sénèque, mais aussi les penseurs récents, Mably et Condillac.

Les journalistes de la presse royaliste ont fait d'elle une virago affublée de tous les défauts. Il fallait bien qu'elle fût aussi complotiste contre la monarchie. Sous ce prétexte, le 15 janvier 1791, elle est donc enlevée par des émigrés français qui la livrent à la police autrichienne. Après de nombreux jours de voyage pendant lesquels elle parvient à éviter une tentative de viol, elle arrive en Autriche. Elle est incarcérée à la prison de Kufstein dans le Tyrol le 17 mars. Elle passe une année derrière les barreaux avant qu'une longue et méticuleuse instruction lui permette d'obtenir son élargissement signifié par l'empereur en personne, Léopold II, en décembre.

Cette année lui est physiquement et psychiquement pénible. Sa syphilis progresse. Elle crache du sang, tousse, souffre de migraines. À partir de juin, elle écrit ses mémoires et leur donne un titre franchement rousseauiste : *Les Confessions*. Ils paraîtront de manière posthume en 1892. Elle n'y dit pas toute la vérité, juste la vérité nécessaire à sa défense...

Elle rentre en France. La presse royaliste parle d'elle comme d'une « charogne ambulante ». Les républicains lui réservent un triomphe. La révolution de 1790 qu'elle avait quittée était plutôt girondine, voltairienne, dans l'esprit des Encyclopédistes, avec Condorcet comme penseur emblématique et les amis du Girondin Brissot en acteurs occupant le devant de la scène – c'était celle des états généraux, du serment du Jeu de Paume, de la prise de la Bastille, de l'abolition des privilèges, de la Déclaration des droits de l'homme, de la Fête de la fédération, de la Constitution civile du clergé...

La révolution qu'elle retrouve en ce début d'année 1792 n'est plus la même : la fuite à Varennes a rompu le pacte entre le roi et les Français, la suspension du monarque par la Convention, puis sa réhabilitation, ont fragilisé l'idée qu'une monarchie constitutionnelle était une solution, la partition se creuse entre ceux qui veulent juger le roi sans procès, Robespierre, et les autres, la fusillade du Champs-de-Mars a consommé la rupture entre les républicains qui croient encore à la loi et les républicains qui tablent sur l'insurrection populaire, toujours Robespierre. La déclaration de guerre à l'Autriche le 20 avril, puis la démonstration de force des sans-culottes le 20 juin lors de l'invasion des Tuileries annoncent d'abord la chute de la monarchie le 10 août, mais surtout le règne du sang inauguré par la décapitation de Louis XVI le 21 janvier 1793. La première révolution fut celle de Théroigne ; la deuxième ne sera pas la sienne ; ne parlons pas de la troisième, celle de l'après-Capet avec la Terreur et le gouvernement révolutionnaire qui coïncidera avec son entrée dans la folie.

Pour l'heure, nous sommes début 1792, le roi veut la guerre pour en finir avec la Révolution, Brissot et les siens aussi, mais pour en finir avec le roi ; Robespierre dénonce cette collusion, il est contre cette guerre – il a raison. Louis XVI croit que les armées de la coalition européenne royaliste le ramèneront fortifié sur son trône ; Brissot que la guerre révolutionnaire obtiendra l'assentiment des peuples. Cette guerre durera jusqu'en 1815 : elle ne sauvera ni le roi ni les Girondins qui, tous deux, perdront leur pari. Robespierre, lui, gagnera le sien. Première pièce judicieusement placée par lui sur l'échiquier du gouvernement de la Révolution.

Girondine, partisane de Brissot, Théroigne témoigne de son aventure à la tribune de l'Assemblée le 1er février 1792. Elle invite les patriotes à mener la guerre révolutionnaire et à mobiliser les troupes républicaines. Acclamation. Elle est portée en triomphe. Le procureur de la Commune dit : « Vous venez d'entendre une des premières amazones de la liberté. Elle a été martyre de la Constitution. Je demande que, présidente de son sexe, assise aujourd'hui à côté de notre président, elle jouisse des honneurs de la séance. » Elle les eut.

Dans son discours pour obtenir les voix pour la guerre, Brissot fait référence à elle : « Cette amie de la liberté a indiqué l'unique moyen de consolider la nôtre : c'est de porter la guerre aux rebelles et aux despotes qui menacent de nous la faire et qui la craignent plus que nous. » Théroigne propose donc la création de phalanges féminines : des légions d'Amazones. L'empereur Léopold II d'Autriche ne voulait pas la guerre, mais il meurt le 1er mars 1792 ; son fils François II lui succède, lui la veut : elle a lieu.

Le 11 mars, Théroigne convoque les citoyennes au Champ-de-Mars. Elle est au centre des factions et voit combien les partisans de Brissot et ceux de Robespierre s'opposent, se déchirent, et combien la république en fait les frais. D'autres femmes souhaitent également pouvoir s'engager dans la guerre. Elles relèvent de la Société fraternelle des Minimes et proposent une pétition riche de trois cents signatures – dont celle de Pauline Léon. Au nom de la Déclaration des droits de l'homme qu'elles entendent autrement que Théroigne ou Olympe : les *hommes*, ce sont pour elles les *humains*, pas le sexe mâle, dès lors, et dans ce sens, puisque humaines, les femmes sont des hommes comme les autres...

Le 25 mars, Théroigne prononce un discours aux Minimes dans lequel elle se démarque de la revendication *féminine* (mais pas *féministe*...) des citoyennes de la Société fraternelle : elle se réclame de la philosophie « des Lumières du XVIIIe siècle » ; elle parle des « progrès des lumières qui vous invitent à réfléchir » ; elle affirme qu'« il faut prendre pour arbitre la raison » – Condorcet n'est pas loin...

Puis elle ajoute : « Il est temps enfin que les Femmes sortent de leur honteuse nullité, où l'ignorance, l'orgueil, et l'injustice des hommes les tiennent asservies depuis si longtemps. » Et ceci : « Reprenons donc notre énergie ; car si nous voulons conserver notre Liberté, il faut que nous nous préparions à faire les choses les plus sublimes...

Citoyennes, pourquoi n'entrerions-nous pas en concurrence avec les hommes ? Prétendent-ils seuls avoir des droits à la gloire ; non, non... Et nous aussi nous voulons mériter une couronne civique, et briguer l'honneur de mourir pour une liberté qui nous est peut-être plus chère qu'à eux, puisque les effets du despotisme s'appesantissaient encore plus durement sur nos têtes que sur les leurs... » Elle souhaite donc que les femmes soient armées et s'exercent à l'art militaire deux ou trois fois par semaine aux Champs-Élysées, ou aux Champs de la Fédération.

L'énergie, la liberté, le sublime, la gloire, le mérite, l'honneur, la mort, tous les ingrédients romains s'y retrouvent. Mais dans l'esprit de Théroigne, ces Romains, ce sont des Scythes – en l'occurrence les Amazones.

C'est habillée en amazone qu'elle se rend à un banquet aux Champs-Élysées. L'hypothèse de Madame Roudinesco, freudienne en diable, est qu'elle s'habille en amazone « pour avoir l'air d'un homme et fuir ainsi l'humiliation d'être une femme ». Rappelons, pour faire pièce au fantasme et donner droit à la réalité, que s'habiller en amazone c'est porter une *robe* et que, jusqu'à preuve du contraire, la robe n'est pas le vêtement le plus approprié pour avoir l'air d'un homme. Faisons de *Littré* notre juge : « Habit d'amazone ou amazone, longue robe de drap que portent les femmes pour monter à cheval »...

De même, porter une longue robe pour « fuir l'humiliation d'être une femme » chez une femme qui consacre sa vie à dire la grandeur qu'il y a à être une femme, voire à dire la supériorité des femmes sur les hommes, voilà qui ne manque pas de sel ! Faisons cette fois-ci de Théroigne notre juge puisqu'elle invite les femmes à mourir pour la liberté en précisant que celle-ci leur est « plus chère » qu'aux hommes puisque le despotisme pèse plus sur la tête des femmes que des hommes.

Peu importe la vérité, en portant cette robe, écrit Madame Roudinesco, Théroigne incarne « le symbole par excellence de la croyance au phallicisme de la femme » ; elle « fait du pénis un fétiche »... On peut, moins prosaïquement, faire de cette robe, qui permit à celles qui la portaient de monter à cheval et, plus tard, de faire du vélo, le symbole de l'émancipation d'une femme qui n'a pas plus envie d'être un pénis ou un phallus que d'être une femme à égalité avec les hommes, qui ne se réduisent pas à ces seuls attributs...

C'est donc avec cette robe qui dit son désir d'être une femme parmi les hommes en égalité avec eux qu'elle participe à ce banquet donné par les habitants du faubourg Saint-Antoine aux forts des halles. Il s'agit de fraterniser avec le peuple et les sans-culottes que les Montagnards flattent et récupèrent à leurs fins – Robespierre manœuvrant dans l'ombre pour s'en faire prétendument la voix et sûrement le bras armé. Dandy, elle est ainsi vêtue : pantalon de maroquin rouge, bas de laine noir, jupon de damas bleu, fichu tricolore, bonnet de gaze couleur de feu surmonté d'un pompon vert... Pour une femme qui refuse sa féminité et voudrait être un phallus ! Elle recrute des citoyennes pour former des bataillons.

Ses initiatives gênent les royalistes mais aussi les républicains. C'est dans ce camp qu'on lui reproche de se servir, sans leur autorisation, des noms de Robespierre, qu'elle n'a jamais rencontré, de Collot d'Herbois et de Santerre, commandant général du faubourg, pour ramener des femmes à elle. En fait, on lui reproche d'avoir sollicité les jeunes filles de la Pitié, ce qui déplut d'une part aux religieuses, d'autre part aux hommes fâchés de voir de futures femmes fortifiées dans l'idée d'être à égalité avec les hommes. Santerre dira : « Les hommes de ces faubourgs aiment mieux, en rentrant de leur travail, trouver leur ménage en ordre, que de voir revenir leurs femmes d'une assemblée où elles ne gagnent pas toujours un esprit de douceur, de sorte qu'ils ont vu d'un mauvais œil ces assemblées répétées trois fois la semaine. » La presse royaliste écrit alors, un an avant que la chose n'ait véritablement lieu, qu'elle a échappé à une fessée publique !

En août 1790, des soldats suisses avaient eu une altercation avec un marquis qui leur devait de l'argent ; le ci-devant a fait appel à un régiment allemand à la solde de la Cour ; cette répression, approuvée par la Constituante, avait valu les galères aux Suisses – galère dont la Législative les libérait... Théroigne prend donc l'initiative d'une pétition pour fêter la libération de ces soldats en février 1792. Les quarante survivants ont été portés en triomphe. La fête parisienne a lieu le 15 avril. David a réglé le spectacle. Théroigne est invisible ; elle se cache et craint pour elle ; ni les royalistes, ni les républicains ne l'aiment, car elle chérit plus la liberté qu'eux qui ne l'ont jamais goûtée.

Le 20 avril, la guerre est déclarée contre l'Autriche. Les partisans de Brissot la voulaient, ceux de Robespierre, non ; Théroigne dit qu'elle retire sa confiance à Robespierre. François Suleau, journaliste aux *Actes des Apôtres*, journal royaliste, fustige le rôle des femmes dans la Révolution : « vieilles », « laides », « infirmes », « vieilles douairières, cacochymes et édentées », « lépreuses », « créatures impotentes couvertes d'ulcères », pleines de « rides » avec « leurs appâts surannés ». Suleau convoque également « la gale, la rogne, les teignes », mais aussi les « dartres vives, le pian, le farsin des vésicatoires sur la nuque, des ventouses sur le poitrail, des cautères sur les cuisses, des emplâtres sur toutes les coutures », sans parler des maux qui font qu'elles « sont périodiquement sujettes à des convulsions épileptiques »... Robespierre le Montagnard a des raisons de ne pas aimer Théroigne ; Suleau le monarchiste également.

Le 29 avril, les armées révolutionnaires subissent un revers en Belgique. La guerre n'était pas une bonne idée ; les partisans de Robespierre triomphent ; ceux de Brissot connaissent une défaite politique. Le roi en profite pour démissionner les ministres girondins et nommer des Feuillants à la place. Le 20 juin, les Girondins marchent sur les Tuileries. Le roi doit porter le bonnet phrygien et boire un verre de vin à la santé de la nation. Théroigne n'y est pas.

La Fayette veut tenter un coup d'État pour sauver la monarchie ; la reine qui le déteste l'en empêche et fait prévenir Pétion. Les sans-culottes font la loi. Les choses s'aggravent aux frontières. L'armée des émigrés entre en France. L'Assemblée est incapable de trancher. Plus que jamais le pouvoir est dans la rue ; la monarchie vit ses dernières heures.

Le 10 août 1792 est le dernier jour de François Suleau. Elle était dans la foule qui a tué le journaliste ; elle n'a pas tué elle-même ; mais la presse royaliste le dira, bien sûr. La voilà désormais criminelle, sanguinaire, coupeuse de tête et fanatique de pique. « Son sabre lui sert moins à frapper qu'à parler », écrit Madame Roudinesco dans une étrange formule – des sabres qui parlent ne manquent jamais de causer castration. « Qui osera dire que les métaphores sont moins fortes que les réalités et les légendes moins tenaces que la vérité », écrit la freudienne qui s'y connaît en matière de légende !

Ce même 10 août, alors que les Robespierre, Danton, Marat, Desmoulins ne prennent pas de risques physiques et ne s'exposent surtout pas, mais pilotent le peuple en coulisse, via Santerre qui est leur relais sur place, le sang coule : 366 tués et blessés côté insurgés, plus de 600 parmi les défenseurs du château. Le roi et sa famille se réfugient à l'Assemblée législative qui suspend le monarque et demande l'élection d'une Convention. La Section des Piques, celle de Sade, nomme Robespierre représentant de la Commune insurrectionnelle de Paris.

Les municipalités arrêtent les suspects ; les journaux royalistes sont interdits. Le roi et sa famille sont enfermés au Temple. Les biens des émigrés sont mis en vente.

La Commune fait désormais la loi. Robespierre l'a compris. Il sera donc la Commune, c'est-à-dire la loi. Le soir même du 10 août il obtient le maintien du peuple en armes afin de faire pression sur l'Assemblée. Puis il demande le 27 août que les électeurs de Paris votent désormais à main levée en présence du public et que leur vote soit ratifié par l'approbation des sections. Cette astuce démagogique deviendra bientôt pour l'histoire exercice de démocratie. Robespierre épouse le peuple pour mieux le diriger. Robespierre demande et obtient la création d'un tribunal du peuple élu par les sections. Brissot et les Girondins découvrent que ce despotisme surpasse celui qu'on prête au roi.

Le 21 août 1792, la guillotine tranche sa première tête politique – la première, qui était de droit commun, est tombée dans le panier de sciure le 25 avril. C'est la première victime du tribunal criminel voulu par Robespierre. Les massacres de Septembre continuent ce qui a été commencé dans le sang. Certes, il y eut du sang versé dès le début de la Révolution française, en 1789, des têtes coupées, mises au bout des piques, la bouche pleine de foin, des actes de cannibalisme, à Caen par exemple, le 12 août 1789 ; mais ce sang versé l'est par accident *ressentimenteux*, si l'on me passe le mot, non par volonté politique comme à partir du 10 août. Robespierre sera l'homme de cette volonté politique.

Théroigne de Méricourt n'a pas tué Suleau ; elle n'a pas participé à la boucherie des Tuileries le 10 août ; elle n'a pas non plus fait partie des massacreurs du 2 au 7 septembre qui font 1 300 morts à Paris et 150 en province ; elle n'a jamais versé le sang personnellement, ni invité à le faire.

Théroigne a perdu beaucoup d'argent. Elle est désormais pauvre. Elle entre alors dans une zone d'ombre. Entre le 10 août 1792 et mai 1793, on ne sait rien d'elle. On ignore donc comment elle a vécu cette période qui fut celle de l'opposition entre Girondins et Montagnards qui se solde par la chute de la Gironde et la naissance concomitante de la Terreur.

Conscients que la violence populaire met en péril la Révolution et la République, Roland et les Girondins demandent la supression de la Commune à la fin d'en élire une nouvelle afin de ne pas faire du sang et des têtes arbitrairement coupées le quotidien de la Révolution. Car la vindicte populaire est fréquente, elle se pare des plumes de la Révolution.

La Commune refuse. Danton l'instrumentalise. On connaît son fameux : « Messieurs, il nous faut de l'audace, encore de l'audace, toujours de l'audace, et la France est sauvée. » Il est entendu. Dans la foulée, la Commune sonne le tocsin. Les massacres de Septembre ont lieu et font 1 300 morts en trois jours. Ils concernent aussi la province : Gisors, Marseille, Lyon, Toulon, Reims, Orléans, Meaux…

La populace en furie tue les gens entassés dans les prisons : mendiants, pauvres, voleurs, enfants abandonnés par leurs familles, prostituées, vagabonds, faux-monnayeurs, petites frappes, innocents dénoncés par plus puissants qu'eux. En quoi sont-ils des ennemis de la Révolution, des dangers pour la République ?

On viole et mutile des femmes ; on coupe les oreilles de prêtres avant de les tuer ; on pend et on éviscère ; on massacre à coups de massue 43 enfants issus du petit peuple ; on mutile à tour de bras ; on fait des monceaux de cadavres ; on porte des bras ou des jambes à l'Assemblée, on les suspend à la porte ; l'un des massacreurs mange le foie de l'une de ses victimes… La princesse de Lamballe est massacrée, dépecée, décapitée, sa toison pubienne est taillée et l'un de ses bourreaux s'en fait une barbe, son cœur est piqué sur un sabre, sa tête sur une pique…

Robespierre, qui parle alors de « justice populaire », désigne Brissot aux égorgeurs ; une perquisition est effectuée au domicile du chef de file des Girondins ; Danton empêche que Brissot soit massacré. Marat, le prétendu *ami du peuple*, dit que le bain de sang est un produit des contre-révolutionnaires qui ont agi ainsi « pour ensevelir dans la nuit éternelle de l'oubli quelques-uns de leurs complices qui s'y trouvaient enfermés ». Des enfants de douze ans complices de la contre-révolution ? « Tirons un voile religieux sur tous ces événements », déclare le club des Jacobins. Ils ne sont pas nombreux à déplorer ensuite le massacre. Théroigne ne peut pas ne pas savoir.

Le procès du roi a lieu. Robespierre et Saint-Just veulent une condamnation directe sans procès. « Je dis que le roi doit être jugé en ennemi », affirme Saint-Just lors de son premier discours à la Convention le 13 novembre 1792 ; dans son discours du 3 novembre à la Convention, Robespierre en fait « un criminel contre l'humanité ». Quelle autre sentence que la mort dans ce cas-là ? Son frère Augustin ajoute qu'« un roi n'est même pas un homme ». « On ne règne pas innocemment », dit Saint-Just – mais en parlant du monarque ! Le 21 janvier 1793, Louis Capet est décapité. Qui prétendra encore que Robespierre était contre la peine de mort ? Théroigne ne peut pas ne pas savoir.

« La révolution commence quand le tyran finit », proclame Saint-Just le 27 décembre 1792. En fait, la mort du roi ne permet pas le commencement de la Révolution, mais sa fin. L'organisation du sang versé en masse ne s'appelle plus révolution. Les lois d'exception, le Tribunal révolutionnaire, les comités de surveillance révolutionnaire, le Comité de salut public, la loi sur les suspects, les dénonciations, les visites domiciliaires, les colonnes infernales en Vendée, les noyades de Nantes, les 20 000 morts de la guillotine, le vandalisme, voilà qui dit la fin de la Révolution et le remplacement d'une tyrannie par une autre qui s'avérera bien plus sanglante. Le 5 février 1794, Robespierre dit : « Le gouvernement de la révolution est le despotisme de la liberté contre la tyrannie. » Il y eut bien le despotisme, mais sans la liberté, ce qui se nomme la tyrannie. Charlotte Corday le comprit très tôt.

Les traces de Théroigne de Méricourt réapparaissent le 15 mai 1793. Elle assiste aux séances de la Convention. Des femmes filtrent l'entrée des séances ; elles interpellent Théroigne. On ne sait ce qui se dit, ce qu'elles lui reprochent. Les passions tristes font la loi dans la rue plus que la raison républicaine dans les assemblées. On la traite de brissotine. À l'époque, quiconque ne souscrit pas à la violence populaire des rues habilement sublimée en discours chez les Montagnards, Robespierre en tête, passe pour un ennemi du peuple, un partisan du roi, un contre-révolutionnaire. La guillotine fonctionne depuis neuf mois. Théroigne pourrait y être conduite pour des motifs futiles. Elle ne se laisse pas faire. Des Jacobines s'en emparent, retroussent ses jupes et, fesses à l'air, la fouettent. Marat passe par là et l'éloigne de la furie « des dévotes de Robespierre et de Marat » – selon les mots d'un journaliste.

Cette même année 1793, Théroigne rédige un placard qui s'avère un formidable texte politique révolutionnaire girondin – au même titre que ceux qu'a rédigés Olympe de Gouges et les quelques lettres laissées par Charlotte Corday. Ce texte, qui date de début 1793, est dit sur *La Magistrature de la paix*. Elle y manifeste la quintessence de la raison girondine. Elle s'adresse aux quarante-huit sections de Paris, autrement dit aux hommes de la Commune.

En brissotine emblématique, Théroigne veut faire entendre la voix de la raison, de la sagesse, de l'union, de la fraternité, de la révolution, de la paix ; elle ne veut ni des passions tristes, ni de la violence, ni des factions, ni de la désunion, ni du sang, ni des massacres. La Révolution est de son côté ; en face d'elle, il n'y a plus de révolution – juste une immense boucherie humaine déclenchée par des tribuns avides de pouvoir.

Théroigne sait que tous se trouvent au bord du précipice : elle invite à s'arrêter et à réfléchir. Elle veut en finir avec les violences et prédit que les coups et les injures annoncent de plus graves choses : « Je vous prédis que les passions s'exaspéreront à tel point qu'il ne dépendra plus de vous d'en arrêter l'explosion. » Les monarchies européennes ont intérêt à l'échec de la Révolution ; elles soutiennent la Vendée qui se soulève et divise. Il ne faut donc pas tomber dans leur piège. « Citoyens arrêtons-nous et réfléchissons, ou nous sommes perdus. Le moment est enfin arrivé où l'intérêt de tous veut que nous nous réunissions, que nous fassions le sacrifice de nos haines et de nos passions pour le salut public. » Théroigne constate le climat de terreur dans lequel chacun vit à Paris ; tout le monde suspecte tout le monde ; on dénonce à tour de bras ; on invite à la dénonciation. Elle s'oppose à cette idée qu'il faudrait « exterminer la moitié des Français pour soumettre l'autre ». Elle défend la liberté.

Elle ne se contente pas de pérorer ou de haranguer. Là aussi, comme Girondine, elle met les idées au service de l'action, de la pratique. Elle n'est pas cérébrale et conceptuelle, mais pragmatique, concrète. Elle propose que dans chaque section « six citoyennes les plus vertueuses et les plus graves par leur âge » éclairent les hommes, leur montrent les dangers dans lesquels se trouve la Révolution si elle ne se ressaisit pas. Ces six femmes porteraient une écharpe sur laquelle on pourrait lire : « Amitié et Fraternité ». À chaque assemblée générale de section elles mettraient en garde les hommes « qui ne respecteraient pas la liberté d'opinion, chose si précieuse pour former un bon esprit public ». Ceux qui interrompront les débats, insulteront, crieront, frapperont, injurieront, seront connus comme tels et décrétés ennemis de la République. Ces femmes changeraient tous les six mois ; les plus efficaces dans la fonction pourront être réélues une fois. Elles seraient ensuite célébrées et honorées dans les fêtes nationales et auraient la responsabilité des lieux d'éducation pour les filles.

Théroigne veut donc la paix entre Girondins et Montagnards. Que les femmes injectent leur pulsion de vie dans une révolution que la pulsion de mort masculine a corrompue est une idée véritablement… révolutionnaire ! De Lysistrata à Théroigne, l'idée que la servitude pourrait être rompue par l'insoumission des femmes est une piste redoutable et jamais explorée. Elle ne sera pas entendue. Le 30 mai 1793, le Comité insurrectionnel décide de l'arrestation des Girondins ; le 1er juin, Madame Roland est arrêtée ; le 2 juin, les vingt et un députés girondins sont arrêtés ; le 31 octobre, ils sont guillotinés.

Au printemps 1794, l'un de ses frères, blanchisseur à Paris, demande qu'on mette sa sœur sous tutelle. Elle avait été dénoncée pour propos suspects. Le Comité révolutionnaire avait perquisitionné chez elle et mis ses papiers sous scellés. Elle a alors assez de raison pour dire que ce Comité révolutionnaire n'existe pas ; formellement, elle a raison : il n'existe que le Comité de salut public et le Comité de sûreté générale de la Convention, la police politique de la Révolution. Enfermée, déclarée folle le 20 septembre 1794, elle envoie une lettre à Saint-Just pour se plaindre ; il n'ouvrira pas le pli. Elle appelle encore et toujours à l'union. Elle n'est pas folle et se plaint d'être enfermée. Elle veut écrire.

Des années de maison de fous rendent fou quiconque y entre sain d'esprit. Elle verbigère, mange ses excréments, boit de l'eau souillée, mord, rampe dans sa cellule, mange la paille de son châlit et la plume de son oreiller, marche nue, ne sait plus écrire, arrose compulsivement son corps et son lit d'eau glacée. Elle passe vingt-trois ans enfermée et meurt le 8 juin 1817.

Théroigne de Méricourt sort de la Révolution et entre dans la folie non pas, comme le dit la vulgate royaliste qui va jusqu'à Roudinesco, qu'elle y soit entrée après avoir été fessée, mais tout simplement parce qu'une syphilis contractée dans sa jeunesse, et qui la fit longtemps souffrir, débouche toujours, fessée ou pas, sur un stade tertiaire qui, à un moment donné, après de terribles dégradations, emporte la raison. Nietzsche qui ne fut jamais fessé emprunte le même chemin des années plus tard. Les deux avaient voulu le règne de la raison, ce qui est folie pour les vrais fous.

Germaine de Staël

La raison pragmatique

Nul n'est obligé de croire Baudelaire quand il affirme qu'« aimer une femme intelligente est un plaisir de pédéraste ». Germaine de Staël, qui ne fut pas ce qu'il est convenu d'appeler une beauté plastique, eut un grand nombre d'amants, une quinzaine dit-on, qui n'étaient en rien des adeptes de Sodome et Gomorrhe.

Elle s'est mariée avec un homme plus âgé qu'elle de dix-sept années ; il avait envisagé ces épousailles alors qu'elle avait treize ans ; il attendit son heure avec patience et fut récompensé. Mais pareille récompense n'est pas toujours un cadeau.

Elle fit un mariage de raison. Rien d'étonnant, donc, à ce que cette femme, qui écrivit un ouvrage intitulé *De l'influence des passions sur le bonheur des individus et des nations* en sachant de quoi il en retournait, ait cherché dans sa courte vie – elle meurt à cinquante et un ans – de quoi aller au-delà de cette raison qui, certes, ravit l'âme, mais laisse le corps intact.

Anne Louise Germaine Necker est la fille unique du célèbre ministre des Finances de Louis XVI. Le roi est couronné quand elle a huit ans. Sa mère, fille de pasteur, genevoise calviniste, tient un salon

dans lequel se presse la fine fleur des Lumières :
Grimm, Diderot, Condorcet, D'Alembert, Buffon,
l'abbé Raynal, Gibbon, La Harpe, Marmontel,
Morellet.

Aux antipodes de Rousseau qui croit qu'une
bonne éducation suit les progrès de la nature
dans un individu, la mère de l'enfant met sa fille
le plus tôt possible en présence de l'intelligence
– une saine méthode pleine de bon sens... Elle
sait qu'on n'obéit pas à la nature, mais qu'on se
sculpte dans, par, pour et avec la culture.

À cinq ans, la future Germaine s'appelle encore
Louise. Assise sur un tabouret, près de sa mère,
elle assiste aux échanges du salon maternel. En
même temps, elle est initiée au latin, à l'histoire, à
la géographie, à l'anglais, aux mathématiques, au
clavecin, à la récitation, à la danse. La théologie,
la religion, la morale ne sont pas oubliées. Elle
accompagne ses parents au théâtre et à l'opéra.
Elle écoute les philosophes et leur parle. Ils lui
répondent.

En 1778, sa santé fragile l'oblige à quitter Paris
pour la campagne de Saint-Ouen. Elle y vit sans
ses parents avec une gouvernante, une femme de
chambre, une petite de son âge, genevoise et protestante, la fille de son professeur de clavecin. Sa
santé s'améliore. Elle revient à Paris.

Jacques Necker est un banquier suisse et protestant haut de gamme. En 1773, il publie un *Éloge
de Colbert* dans lequel il expose son libéralisme
qui n'exclut pas l'intervention de l'État. Deux ans
plus tard, il signe *Sur la législation et le commerce
des grains,* un texte qui s'oppose au libéralisme
de Turgot. Son père donne à sa fille des cours

d'économie politique. Il quitte la banque et devient directeur général des Finances en 1777.

Sauf le titre que ne lui permet pas son état de protestant, Necker est ministre. Il le sera quatre années. Il souhaite réformer. L'état des finances est catastrophique : la dette est abyssale, les dépenses considérables, les frais de la Cour exponentiels, la misère du peuple est grande, le mécontentement aussi. Il veut réduire les dépenses, diminuer les intermédiaires, supprimer des pensions distribuées par le roi, établir un budget (à l'époque inexistant...) afin de savoir quel argent rentre, de qui et en quelle proportion, et quel argent sort, dépensé par qui... De quoi se faire de nombreux ennemis à la Cour et parmi les proches de la famille du roi, notamment ses frères. La France soutient la guerre d'indépendance des États-Unis : en tout temps, financer des guerres s'avère extrêmement coûteux. Il lui faut emprunter pour éviter de lever de nouveaux impôts. Necker refuse d'être personnellement rémunéré. Sa fortune personnelle est grande au point qu'il prête parfois lui-même à l'État. Il crée des œuvres de bienfaisance, un hospice par exemple.

Necker publie un compte rendu de son administration qui lui vaut l'enthousiasme d'un grand nombre ; donc la jalousie de beaucoup plus. Certains membres de la Cour commandent des pamphlets, font courir des bruits, répandent la calomnie, ourdissent des médisances.

En 1781, ceux qui souhaitent s'en débarrasser exigent qu'il change de religion afin de pouvoir participer au Conseil ; il refuse ; il est démissionné. On lui demande de quitter Paris.

Necker achète le château de Coppet, en France, mais à la frontière suisse, sur le lac Léman. Cet achat de mai 1784 lui permet de devenir baron de Coppet. Il profite de sa disgrâce pour rédiger *De l'administration des finances de la France*, un gros traité qui lui vaut une fois de plus les faveurs d'un grand nombre de Français. Ce texte est un bilan en même temps qu'un programme. Sa réputation croît, on le regrette, on le désire, on l'espère. Le succès du *Traité* en fait un successeur possible de celui qui lui a succédé. Il écrit alors *De l'importance des opinions religieuses*.

Être la fille d'un pareil père n'est pas rien. Louise l'aime et l'admire. Elle le respecte et le vénère. Elle épouse ses causes politiques. Necker s'aime beaucoup, dit-on ; elle l'aime peut-être autant qu'il s'aime lui-même, sinon plus. Plus tard, il lui sera difficile de trouver un homme capable de trouver sa place dans un tel paysage affectif. D'origine prussienne, suisse, banquier, protestant, ministre, Necker a tout pour rendre un gendre impossible.

Louise a dix-huit ans. Elle n'est pas très jolie, dit-on ; mais elle est la fille de son riche père ; ce qui rend amoureux les garçons les plus regardants. Spirituelle, intelligente, cultivée, on lui cherche un mari, mais qui ne soit pas catholique. Un calviniste fortuné, en France, à cette époque, c'est un gibier rare.

On envisage William Pitt ; elle refuse. On pense à Axel de Fersen, ambassadeur de Suède, ou à Monsieur de Mecklembourg ; elle décline. On suppute Louis de Narbonne ; elle dit non, elle deviendra plus tard sa maîtresse. C'est l'ambassadeur de Suède à Paris, le baron Erik Magnus de Staël-Holstein, qui l'épouse le 14 janvier 1786. Elle change alors de prénom en même temps que de nom : Louise Necker devient Germaine de Staël.

Le baron de Staël est plus âgé qu'elle, élégant, séduisant, mais endetté ; elle est donc plus jeune, pas très jolie, mais richement dotée et douée d'un tempérament, d'un caractère et d'une volonté. Pour le mari, la dot l'emporte sur le tempérament, le caractère et la volonté. Le mariage de raison peut parfois donner un jour de l'amour ; il n'y en eut point. La raison ne suffit pas à faire l'amour.

Jacques Necker tient à ce que sa fille n'aille pas vivre en Suède ; il négocie avec son gendre pour qu'elle ne quitte pas la France – comprendre : qu'elle ne le quitte pas, lui... Le baron a donc épousé une femme qui ne l'aime pas et qui réserve à son père une passion qu'il n'obtiendra jamais. Elle dira un jour à son mari : « Je suis deux fois mariée. » De quoi rafraîchir l'époux le mieux disposé !

Germaine de Staël a quitté ses parents après son mariage. Elle vit avec son mari à l'ambassade de Suède, rue du Bac. Elle va à la Cour. On lui reproche de n'être pas diplomate, de dire les choses franchement, de n'y pas mettre les formes. Elle ne supporte ni l'injustice, ni l'esclavage, ni la traite négrière.

À l'ambassade, elle mène grand train ; la reine lui fait savoir discrètement que ça se sait, ça se dit, ça se déplore et qu'il faudrait modérer les dépenses. Elle rencontre ceux qui, bientôt, deviendront les députés dont on parlera trois ans plus tard. Elle apprend le suédois.

En octobre 1786, elle se retrouve à Fontainebleau avec la famille royale. La Cour y séjourne chaque année plusieurs semaines dans le faste, les spectacles, les intrigues. Les remaniements ministériels s'y préparent. Les dîners et les soupers se suivent. L'argent coule à flots. On se presse autour de la reine ; on cherche le roi qui lit dans un coin ou chasse. Du temps qu'il était ministre, Necker avait suggéré la suppression de ce rituel. Il n'avait pas été entendu.

Germaine est enceinte. Elle écrit. Des comédies. Puis des *Lettres sur les écrits et le caractère de Jean-Jacques Rousseau* dans lesquelles elle fait l'éloge de *La Nouvelle Héloïse* et la critique de l'*Émile* et du *Contrat social*. Le livre paraît en 1788. Le couple va mal. Le baron est jaloux ; il se peut qu'il ait de bonnes raisons de l'être. À cette époque, elle reçoit le comte de Jaucourt – à ne pas confondre avec le chevalier, l'auteur de 17 000 notices dans l'*Encyclopédie*.

Le déficit se creuse ; les recettes sont insuffisantes ; le soutien à la guerre outre-Atlantique est dispendieux ; la banqueroute menace ; les dépenses royales s'avèrent pharaoniques ; les pensions royales versées aux grandes familles grèvent le budget ; la noblesse ne paie pas d'impôts, elle ponctionne les paysans ; le clergé est propriétaire, il fait payer la dîme ; le train de la Cour est ruineux. C'est dans cette configuration économique que le roi achète Rambouillet. Necker crie à la déraison pure ; sa fille souscrit ; elle a raison.

Le contrôleur général Calonne met en cause le rapport Necker dans lequel le banquier parpaillot se peignait en gestionnaire impeccable. Or, l'homme que tout le monde apprécie a en effet annoncé un excédent de 10 millions alors qu'il y a un déficit de 25 millions. Soit c'est une erreur, et c'est une faute ; soit c'est un mensonge, et c'est une plus grande faute encore. Car, dans cette histoire, l'alternative oppose l'incompétence et le mensonge. Théoriquement, on ne saurait représenter un recours si l'on est incompétent ou menteur.

Le 10 avril 1787, deux jours après la démission de Calonne qui a échoué dans ses réformes, Necker publie un *Mémoire en réponse au discours prononcé par Monsieur de Calonne devant l'Assemblée des notables*. La réponse semble un appel du pied au pouvoir ; le roi envoie une lettre de cachet ; Necker s'exile près de Montargis.

Germaine de Staël est enceinte de sept mois. Simone Lucie Ernestine Marie Bertrand de Beauvoir écrit dans *Le Deuxième Sexe* : « Mme de Staël menait une grossesse aussi rondement qu'une conversation. » C'est vrai. Elle vit chez ses parents. Elle y reçoit Guibert, auteur d'un *Essai général de tactique* qui fait beaucoup de bruit : l'académicien y fait en effet l'éloge de la monarchie constitutionnelle – une hérésie dans la configuration française de la monarchie absolue. Les Danton, Robespierre, Marat et consorts sont à cette époque très monarchistes – ils le seront du reste jusqu'en 1792...

Comme il le faisait déjà du temps de Jaucourt, le baron de Staël ouvre les lettres que sa femme envoie. Il trouve que les mots qu'elle destine à Guibert sont inappropriés. Germaine s'offusque et propose de prendre son père à témoin : il lira les lettres incriminées, il verra les mots qui font problème, et dira si, oui ou non, ils prêtent à caution. Le baron de Staël écrit une lettre à son beau-père ; sa belle-mère lui répond qu'il se fait des idées.

Bien qu'elle vive désormais avec son père et sa mère, et non à l'ambassade de Suède où travaille son mari, Germaine lui reproche de ne pas assez lui rendre visite. Mais lorsque Guibert vient lui rendre visite, prétextant sa jalousie maladive, elle demande à son époux de ne pas venir. Elle finit par demander à son mari s'il n'a pas une maîtresse ! À défaut de philosophie dans le boudoir, tout cela sent fort le divan...

Fin juillet 1787, Gustavine naît. La lettre de cachet est levée ; Necker revient à Paris. La dette absorbe la moitié du budget. La banqueroute menace la monarchie qui pourrait encore réformer et sauver ainsi le régime. On rappelle le banquier suisse. Le 26 août 1788, il devient directeur général des finances et ministre d'État. Elle vit dans l'ombre de son père à Versailles.

Les Parlements se rebellent. Les troubles se multiplient en province. Necker envisage une convocation des états généraux après leur réforme afin que la noblesse et le clergé ne prennent pas toute la place et que le tiers état ne soit pas la portion congrue. Refus du roi.

Cette franche et claire volonté de réformer la monarchie en profondeur, et dans le sens de plus de démocratie, fâche à la Cour. Les libelles, pamphlets et autres articles fielleux des folliculaires au service des grands, des financiers, des nobles, des puissants, se déchaînent contre Necker et sa fille.

Un orage terrible ravage les champs de blé en 1788. Le prix du grain monte. Necker avance en gage la moitié de sa propre fortune pour acheter du blé à l'étranger afin de prévenir la famine, la misère et les troubles. Certains l'accusent de spéculer – dont Marat.

Germaine de Staël assiste aux états généraux. Son père est attendu et applaudi dès son entrée. Mais il fait un long discours technique de trois heures, sans emphase, sans lyrisme, sans démagogie, truffé de chiffres. Il n'aborde pas la question du vote par tête qui permettrait au tiers état de tenir tout son rang et toute sa place ; il évite les questions politiques. Il déçoit.

La foule gronde. Les soldats fraternisent avec elle. Necker invite le roi à proclamer une monarchie constitutionnelle. Sous la pression de sa noblesse, il refuse. Louis XVI fait fermer la salle sous prétexte de travaux ; les délégués se replient dans la salle du Jeu de Paume ; ils font serment de ne se séparer qu'après avoir rédigé une Constitution ; le 9 juillet 1789, le tiers état se proclame Assemblée nationale. Le 11 juillet, le roi démissionne Necker qui part pour Bruxelles. Sa fille l'y rejoint. La Révolution française vit ses premières heures ; la monarchie ses dernières.

Louis XVI aurait pu sauver son trône et la monarchie en souscrivant au projet rédigé par Necker d'une monarchie constitutionnelle bicamériste de type anglais. Il aurait alors rendu possible, dans et par la loi, le mouvement nécessaire de démocratisation de son royaume corrompu, vicié par la noblesse et la Cour, travaillé par l'injustice et gangrené par la misère de millions de sujets du royaume.

Le roi qui aimait les livres et les langues, la chasse et les serrures, la philosophie de Hume et la cartographie, n'a rien vu venir. Son impéritie ouvre les vannes d'un sang qui va couler pendant des années. Les réformes, pourvu qu'elles soient radicales, c'est-à-dire, au sens étymologique, qu'elles prennent les choses à la racine, empêchent qu'un jour le ressentiment fasse la loi et emporte tout avec lui.

*
* *

Dans ses *Considérations sur la Révolution française*, Germaine de Staël écrit : « Quoi que des assassinats sanguinaires eussent été commis par la populace, la journée du 14 juillet avait de la grandeur. » Son engagement politique se trouve tout entier dans cette formule : déplorer le sang, mais sauver la Révolution. Ce sera le leitmotiv girondin.

La Commune de Paris est proclamée. Ce que la raison, la loi, l'intelligence n'auront pas su et pu faire, la violence tâchera de l'obtenir. Les jacqueries menacent partout dans le pays. Le roi rappelle Necker. Il revient sous les vivats de la foule. Les gens sont dans la rue et sur les toits pour l'accueillir dans l'allégresse. Il prend la parole au balcon de l'Hôtel de Ville et appelle à la paix et à la réconciliation de tous les partis. Liesse de la foule. Sa fille s'évanouit.

À quatorze ans, Germaine de Staël annotait Montesquieu, elle en sera la disciple. Certes, l'auteur de *De l'esprit des lois* manque de clinquant et de fanfare, de lyrisme et d'idéalisme, mais pas de raison ni d'intelligence, vertus avec lesquelles on ne fait jamais couler le sang. La réforme, c'est la révolution moins le sang ; la révolution, la réforme avec le sang.

La fille de Necker croit qu'il faut faire la révolution d'abord dans les consciences et les mentalités avant qu'elle ne passe dans les faits. Mais l'ordre des raisons est rarement l'ordre de l'histoire. L'éducation des âmes et des cœurs prend du temps et les faits vont vite.

L'inverse de ce qu'elle souhaite advient : la révolution d'abord, mais sans les consciences qui ne sont pas prêtes. Les gens de la Commune n'ont en effet pas lu Voltaire ou Condorcet, Montesquieu ou Rousseau. Ils font moins parler leur intelligence que le ressentiment si longtemps accumulé et avec raison. On ne méprise pas impunément le peuple aussi durablement.

Le bicamérisme voulu par les Necker n'aura pas lieu. La perspective s'éloigne de l'équilibre et de la justice, de la justesse et de la raison. Le 5 octobre la foule marche sur Versailles : la réforme écartée, la Révolution se met en marche. La révolution arrive toujours quand les réformes radicales n'ont pas été faites.

Le peuple armé de piques et de faux demande des comptes au roi. On pourchasse la reine dans le palais. Louis XVI apparaît au balcon avec sa famille, La Fayette et Necker. La foule se calme mais veut tout de même le ramener à Paris. La liberté que voulaient les Necker n'intéresse pas ceux qui veulent l'égalité et sont prêts à lui sacrifier la liberté.

Necker qui veut éviter les fractures entre les factions se fait reprocher par les monarchistes de faire le jeu du peuple, par le peuple, de faire le jeu des monarchistes : il se contente de faire le jeu de la liberté et de la raison. La presse l'attaque de partout. La popularité du ministre chute. Le 8 septembre 1790, il remet sa démission ; le roi l'accepte ; Necker quitte Paris. Sa fille le rejoint à Genève le 5 octobre.

Germaine de Staël a vingt-quatre ans. En avril 1789, sa petite fille est morte du croup. Le 31 août 1790, elle a accouché d'un petit garçon, Louis-Auguste. Son géniteur est le comte de Narbonne. Le baron entretient une relation avec La Clairon, une comédienne de soixante-huit ans – elle a vingt-six ans de plus que lui... Quand Germaine écrit au baron pour lui parler de Louis-Auguste qu'elle lui a laissé à Paris, elle écrit : « Ton fils »...

Elle rentre à Paris en janvier 1791, la presse royaliste l'éreinte ; elle rejoint ses parents en Suisse au printemps de la même année. Elle sort et rencontre la bonne société genevoise. En mai 1791, son père publie un plaidoyer *pro domo* : *Sur l'administration de Mr Necker, par lui-même* ; elle promeut le livre et en publie des morceaux choisis dans *L'Ami des patriotes ou le Défenseur de la Révolution*. Elle écrit des tragédies en vers, une comédie, une tragédie historique pour ses amis. Mathieu de Montmorency, après le comte de Narbonne, Alexandre de Lameth et Talleyrand, devient son amant.

Politiquement, elle récuse les extrêmes aristocratiques, monarchistes et contre-révolutionnaires, autant que les extrêmes révolutionnaires jacobins. Elle se trouve du côté de ce qu'il est convenu d'appeler alors *la gauche constitutionnelle*. Personne avant Varennes ne remet en cause la monarchie. Mieux vaut une monarchie qui respecte la liberté qu'une république qui la foule aux pieds.

Le 16 avril 1791, elle publie de manière anonyme « À quels signes peut-on reconnaître quelle est l'opinion de la majorité de la nation » dans *Les Indépendants*. Elle soutient la Constituante, l'égalité de tous les citoyens devant la loi, les libertés individuelles, celles de la presse et des cultes, l'admission à tous les emplois, le vote des impôts par les députés, la nationalisation des biens du clergé ; en revanche, elle s'oppose au monocamérisme, au fait que le roi soit considéré comme un suspect et non comme le garant de l'ordre, à la Constitution civile du clergé.

Les Girondins veulent la guerre pour empêcher les monarchies européennes et les émigrés contre-révolutionnaires de nuire à la Révolution. Germaine de Staël la souhaite aussi. Le roi la décide le 20 juin. Après moult tractations, notamment pour qu'il devienne Premier ministre dans un gouvernement parlementaire, elle obtient que son amant Narbonne devienne ministre de la Guerre.

Après Varennes, le 21 juin 1791, les modérés que sont les Feuillants veulent sauver la Constitution ; les Cordeliers, qui représentent le parti populaire, réclament la déchéance du roi. Le 17 juillet, la municipalité de Paris décrète la loi martiale, les gardes tirent sur la foule réunie au Champ-de-Mars.

Le sang coule ; le fossé se creuse entre les deux camps. Le pouvoir est morcelé ; les sans-culottes ont de plus en plus de pouvoir ; le roi est menacé. Le 10 août 1792 a lieu l'insurrection et la proclamation de la Commune. Enceinte pour la troisième fois, Germaine de Staël veut se rendre sur place. Son équipage est stoppé par la foule. Les Tuileries tombent. L'Assemblée nationale compte pour rien. Le roi est interné au Temple.

La monarchie constitutionnelle n'a pas eu lieu ; elle est mort-née. Mort de la Législative, avènement de la Convention.

Narbonne envisage de fuir en Angleterre ; elle espère le rejoindre. Pendant les massacres de Septembre, elle prend la décision de quitter Paris. Sa voiture est arrêtée ; elle est conduite devant la Commune : Robespierre, Billaud-Varenne, Collot d'Herbois examinent son cas pendant six heures.

Le procureur l'a mise à l'abri dans son bureau. Par la fenêtre, elle voit revenir les tueurs des massacres couverts de sang. On crie « Vive la nation ! » dans la rue. Son carrosse, vide, est secoué par la foule. Elle est la femme de l'ambassadeur de Suède, Robespierre et les siens ne veulent pas d'incident diplomatique, la Commune décide de la libérer. Elle rentre à son domicile puis quitte la capitale le lendemain avec sa femme de chambre. Elle arrive le 7 septembre à Coppet.

Le 20 septembre 1792 a lieu Valmy ; le lendemain, la Convention décrète l'abolition de la monarchie en France. La révolution de la liberté qu'elle a souhaitée n'a pas eu lieu, elle n'aura pas lieu. L'heure est venue de la révolution qui va faire de l'égalité une religion sanglante.

On annonce le procès du roi. Necker publie ses *Réflexions présentées à la nation française, sur le procès intenté à Louis XVI*. Elle juge cette initiative dangereuse : son père a prêté de l'argent à la France et les intérêts lui sont encore versés. Elle sait que ceux-ci permettent le train de vie de sa famille, donc le sien, donc celui de son amant Narbonne. Elle accouche de son troisième enfant, son second fils, Albert, le 20 novembre. Elle part pour l'Angleterre rejoindre son amant et laisse ses deux enfants à ses parents. Elle va y vivre quatre mois du printemps 1793. Elle écrit *De l'influence des passions*. L'exécution du roi la fait pleurer. Le 25 mai, elle quitte l'Angleterre et revient en Suisse où elle est le 18 juin.

Narbonne n'envoie pas de lettres ; il ne répond pas aux siennes ; elle n'a pas écrit par hasard *De l'influence des passions*. Elle sait que l'amour est une prison de l'âme et une torture de l'être, un puissant corrosif de la liberté, un poison qui empêche le bonheur. Elle n'a pas la fibre maternelle, mais elle fait des enfants ; elle a l'âme romantique, mais, croyante et non pratiquante de cette croyance-là, elle a la religion du libertinage. C'est une amoureuse qui ne sait pas ce qu'est l'amour, ni même que la définition n'est pas la même pour un homme et pour une femme.

En un mot : elle souffre. Bon prince, le baron propose de l'accompagner en Angleterre pour remonter les bretelles ontologiques de l'amant de sa femme, père de l'enfant qui porte son nom. Elle déménage pour Noyon. Son mari repart en Suède. Elle envisage le divorce.

En août 1793, elle publie ses *Réflexions sur le procès de la reine*, un texte sans nom d'auteur mais avec cette précision : *Par une femme*. Ce texte est publié en Angleterre et en Suisse. La liberté de la presse, sous la monarchie, est plus grande que sous le régime révolutionnaire : sous Louis XVI, on peut traiter la famille royale de tous les noms, l'insulter, faire courir les informations les plus fausses, dire que Marie-Antoinette couche avec des femmes, puis avec son petit garçon, qu'elle est nymphomane, monstre assoiffé de sang et de sperme, aucun journaliste n'est persécuté, encore moins condamné à mort.

Germaine de Staël précise qu'elle ne propose pas une défense de jurisconsulte ou d'avocat, mais le plaidoyer d'une femme pour les femmes. Dans une formule qui fait songer au futur « Prolétaires de tous les pays unissez-vous ! », elle écrit : « Femmes de tous les pays, de toutes les classes de la société, écoutez-moi avec toute l'émotion que j'éprouve. » Elle ne s'adresse pas aux Montagnards, aux Jacobins, à Robespierre, à Saint-Just, et à ceux qui réclament ardemment la mort, mais aux femmes sans considération de nationalité ou de classe sociale. Ce discours de femme veut la vie quand les hommes désirent la mort. Elle veut l'union, la fraternité, l'ordre, la justice, la compassion quand les mâles souhaitent la désunion, les factions, le désordre, l'injustice, la vengeance, le ressentiment.

Marie-Antoinette n'a pas pris part aux décisions du royaume ; elle n'a pas gouverné ni fait gouverner ; elle n'a contribué à la nomination d'aucun ministre, sauf un qui s'est montré démocrate. Elle n'est en rien responsable des misères du peuple qui, lui, subit les effets de la mauvaise gestion de ministres incompétents, du coût de la guerre en Amérique, autant de choses ignorées d'elle. La presse l'a calomniée ; mais rien de ce qu'elle dit n'est vrai, assure-t-elle. Dans la prison où elle croupit, aucune personne ne peut se dire victime d'elle. Elle a aimé, son mari, ses enfants, et « qui sait aimer, écrit Germaine de Staël, n'a jamais fait souffrir »...

La mort est mauvaise conseillère, le sang versé un mauvais témoignage. La tuer en fera une martyre. Ce crime soudera et lèvera l'Allemagne et l'Autriche contre la France qui n'a pas besoin de ça. « Vous gouvernez par la mort », écrit-elle à l'endroit de ceux qu'elle ne nomme pas, mais que chacun reconnaît. Le peuple a montré sous sa fenêtre la tête mutilée de son amie la princesse de Lamballe. À quoi bon cette cruauté ? Fait-elle avancer la cause de la vérité, de la justice, de la raison ? Non, bien sûr. S'adressant une fois de plus aux femmes, Germaine de Staël conclut : « C'en est fait de votre empire si la férocité règne. » Marie-Antoinette se fait décapiter le 16 octobre 1793.

La grande histoire noue ses fils avec la petite. Trahie par Narbonne, Germaine de Staël publie *Zulma* en avril 1794. Puis elle prend un nouvel amant suédois, Alphonse-Louis, comte de Ribbing. Il a vingt-huit ans comme elle. Il est favorable à la Révolution. La passion durera deux ans. Narbonne reviendra en Suisse, mais trop tard. Le temps s'approche de Benjamin Constant.

Le 15 mai, sa mère meurt sans avoir revu sa fille avec qui elle était fâchée. La protestante pieuse ne supportait pas la liberté amoureuse de sa fille. Madame Necker mère avait publié en 1790 un petit texte intitulé *Des inhumations précipitées*. Pour éviter ce désagrément, elle avait demandé à son époux de plonger son corps dans un cercueil de marbre noir rempli d'alcool. Elle souhaitait qu'une plaque de verre à la hauteur de son visage permette à son veuf de mari de profiter du visage du cadavre de son épouse. Le ministre consentit au marbre, à l'alcool, pas au verre. Mais il conserva le corps le temps de mettre au point ce dispositif uxoral.

Dans l'épais volume des *Considérations sur la Révolution française*, Germaine de Staël analyse la Terreur sous la rubrique du « fanatisme politique ». Elle en donne la généalogie : « Une sorte de fureur s'est emparée des pauvres en présence des riches », un « amour-propre irrité », la « jalousie envers son voisin, envers son supérieur, envers son maître ».

Avant Taine et Nietzsche, elle donne au ressentiment un rôle majeur dans cette période de la Révolution française. Mais elle n'en déteste pas pour autant le peuple ; elle estime en effet que la noblesse l'a longtemps humilié et que semer le vent du mépris ici, c'est récolter ailleurs la tempête de la mort. Il aurait fallu créer ce que nous appelons aujourd'hui la mixité sociale, et ce « en multipliant les rapports politiques entre les divers rangs ». Il aurait également fallu « le règne de la loi » et la force des « gouvernements représentatifs ».

Le gouvernement révolutionnaire s'est illustré par quatorze mois d'acharnement contre les prêtres et les nobles, quatorze mois de haine des propriétaires, quatorze mois de mépris des talents, quatorze mois de persécution de la beauté même écrit-elle – même si les têtes ont commencé à tomber bien avant le 10 mars 1793, date de la création du Tribunal révolutionnaire.

Pourquoi ces quatorze mois de fureur du règne jacobin seulement en France ? « Qu'en faut-il conclure ? Qu'aucun peuple n'avait été aussi malheureux depuis cent ans que le peuple français. Si les nègres à Saint-Domingue ont commis bien plus d'atrocités encore c'est parce qu'ils avaient été les plus opprimés. » Elle n'accable pas le peuple :

« Et d'où venaient donc les penchants désordonnés qui se sont si violemment développés dans les premières années de la révolution, si ce n'est de cent ans de superstition et d'arbitraire » – autrement dit : de religion catholique et de monarchie absolutiste.

Germaine de Staël déplore qu'après la mort du roi les Girondins ne soient pas parvenus à faire accepter une organisation sociale, une forme qui aurait contenu ces forces déchaînées. Elle écrit : « Les derniers hommes qui, dans ce temps, soient encore dignes d'occuper une place dans l'histoire, ce sont les Girondins. » Ils ont dû regretter d'avoir renversé le trône avec violence quand cette même violence s'est retournée contre eux. « Les Girondins combattaient chaque jour et à chaque heure avec une éloquence intrépide contre des discours aiguisés comme des poignards, et qui renfermaient la mort dans chaque phrase. Les filets meurtriers dont on enveloppait de toute part les proscrits, ne leur ôtaient en rien l'admirable présence d'esprit qui seule peut faire valoir tous les talents de l'orateur. » Elle déplore que le Girondin Condorcet fût acculé au suicide alors qu'il écrivait un livre sur les progrès de l'esprit humain ; elle rappelle la mort digne des vingt et un députés de la Gironde ; elle raconte le suicide romain de l'un d'entre eux, Valazé, député de l'Orne ; elle souligne que les Girondins « défendaient tout ce qu'il y avait d'honnêtes gens en France » ; elle déplore que le jeu de politique politicienne ait produit l'étrange alliance des royalistes constitutionnels et des Jacobins (les « terroristes » selon son expression) contre les républicains qu'étaient les Girondins et conclut sur cette leçon : « La règle de conduite dont il ne faut jamais s'écarter en politique : c'est de se rallier toujours au parti le moins mauvais parmi ses adversaires, lors même que ce parti est encore loin de votre propre manière de voir. » Si Germaine de Staël ne fut pas stricto sensu girondine, à l'heure du bilan, elle a rallié ce parti le moins mauvais...

Du Comité de salut public, sans jamais nommer Robespierre ou Marat, elle écrit : « La direction des affaires n'était qu'un mélange de grossièreté et de férocité, dans lequel on ne peut découvrir aucun plan, hors celui de faire massacrer la moitié de la nation par l'autre. Car il était si facile d'être considéré par les Jacobins comme faisant partie de l'aristocratie proscrite, que la moitié des habitants de la France encourait le soupçon qui suffisait pour conduire à la mort. »

Robespierre ne supportait pas les philosophes, sauf Rousseau, parce que le Genevois était déiste. Il a envoyé les athées à l'échafaud et menait combat contre l'impiété. Du haut de sa personne poudrée et vêtue à l'ancienne, il avait décrété que l'athéisme était le fait de l'aristocratie ! Sa fête de l'Être suprême et son culte de la raison l'ont transformé en prêtre d'une religion nouvelle. Concernant cette journée du 8 juin 1794, Germaine de Staël affirme : « À la procession de cette fête impie, il s'avisa de passer le premier, pour s'arroger la prééminence sur ses collègues, et dès lors il fut perdu. » Le 9 thermidor, le règne de Robespierre s'arrête ; il est guillotiné le lendemain, 28 juillet 1794. Ce jour, la Terreur meurt.

Après de nouvelles aventures (divorce, veuvage, remariage avec un homme qui aurait pu être son fils, nouvelle maternité, voyages, écriture, nouvelles conquêtes, politique, exil...), la vie de

Germaine de Staël s'arrête un 14 juillet, en 1817. Une hémorragie cérébrale la foudroie dans les bras de son gendre. Elle a cinquante et un ans.

Ses *Considérations sur la Révolution française* paraissent de manière posthume, l'année qui suit sa mort (1818). Il s'agit du premier livre d'histoire qui embrasse la période qui va des racines de la Révolution française à l'Empire qu'elle déteste et qui le lui rend bien. Cet ouvrage est celui d'une femme qui aimait la liberté sous toutes ses formes.

Conclusion
La gauche est morte.
Vive la gauche !

Couper la queue de Robespierre

> *« En général,*
> *l'homme de bien n'arrive pas au pouvoir,*
> *parce qu'il y a entre eux*
> *une antipathie secrète et naturelle. »*

Proudhon

La Révolution française n'est pas terminée. Et pour cause : rien de ce qui fut ne peut pas ne jamais avoir été ; et ce qui fut se pense en regard de ce qui est. Dès lors, on pense « 1789 » différemment au siècle du capitalisme industriel, de la Commune, de l'Empire de Napoléon III, de Marx et de Proudhon, ou à celui des guerres mondiales, des totalitarismes bruns et rouges, de la bombe atomique, de Sartre et de Camus, ou bien enfin au nôtre, le siècle de l'effondrement de la civilisation judéo-chrétienne et du retour des guerres de Religion. Ce qui fut en 1789 a toujours été un enjeu pour le contemporain qui s'en empare.

Ainsi, quand François Furet se saisit du sujet, c'est l'ancien communiste repenti qui pense la question. Et qui la pense en regard de la Russie soviétique et de Lénine, de la passion des bolcheviques pour Robespierre et de la lecture léniniste de la Gironde. L'homme qui écrivit *Le Passé d'une illusion* se trouve tout entier engagé dans le déchiffrage de ce chantier projectif plus que tout autre. Tout 1789 est le 1789 de tel ou tel. L'histoire la plus vraie n'est peut-être que l'histoire des histoires.

« 1789 » aujourd'hui, c'est un autre enjeu : la gauche française est effondrée. Sartre qui, parlant d'elle en préfaçant *Aden Arabie* de son ancien ami Paul Nizan en 1960, écrivait : « Croit-on qu'elle puisse attirer les fils, la Gauche, ce grand cadavre à la renverse, où les vers se sont mis ? » n'aurait pas pu imaginer ce qui lui est arrivé dans le demi-siècle qui a suivi. Ainsi, dans les années 1970-1980 : bolchevisation et soviétisation du PCF ; instrumentalisation du PS par un Rastignac aujourd'hui enterré à Jarnac qui s'en est servi pour la flatter afin d'arriver au pouvoir, puis pour la trahir afin de mieux pouvoir s'y maintenir. Dans les années 1990-2000 : effondrement du PC en même temps que tombaient les murailles de la forteresse soviétique et que, de ce fait, cessait de couler le robinet d'argent qui le finançait ; soumission intégrale des socialistes de gouvernement au libéralisme qui a exigé l'abandon de la souveraineté de la France pour un paradis européen qui est devenu un enfer. Depuis 2000 : bradage de son passé qu'il ne veut pas voir comme un passif d'un PCF qui se vend au plus offrant électoralement parlant, une fois à un tribun robespierriste pour une présidentielle, une autre à un président de région social-libéral pour deux ou trois prébendes offertes à l'un de ses permanents ; destruction du peu qu'avait fait la gauche entre 1981 et 1983 par des libéraux qui ont le front de se dire encore socialistes, mais qui veulent en finir avec la retraite à soixante ans, le droit du travail, le service public, l'école gratuite, laïque et obligatoire, qui oublie son passé laïc devant les exigences d'une minorité de musulmans qui ne fait pas siens les idéaux de la république, qui renonce à l'école républicaine qui donnait à chacun sa chance, qui fait du communautarisme un horizon indépassable et qui semble avoir pour programme de réaliser le *1984* de George Orwell.

Un cadavre, oui, avec des vers dedans, oui, et qui se décompose encore et toujours, oui, et dont la puanteur se fait odeur agréable aux nez des vendeurs de paradis de droite et de gauche qui attendent leur heure pour faire leur travail de nécrophage. Arriveraient-ils au pouvoir que, comme Tsipras leur héros d'un jour, ils se ver- raient contraints de rendre les armes politiques et de vendre leur âme aux dieux de la communi- cation qui font de cette gauche-là une princesse des médias, mais une gueuse de l'action.

*
*   *

Or, la gauche qui est morte n'est pas toute la gauche. Celle qui pue les entrailles à l'air, c'est la gauche bolchevique et jacobine, la gauche des barbelés et des miradors, la gauche des Lénine et des Mao, des Staline et des Castro, des Pol Pot et des Kim Il-sung ; c'est aussi la gauche libérale, celle des Mitterrand 83 et des Fabius, des Mauroy de la rigueur et des Delors catho de gauche, des Hollande et des Macron, des Valls et consorts. En gros, pour les premiers, la gauche de Robespierre pourvoyeuse de chair fraîche envoyée à la guillotine ; pour les seconds, la gauche du Mirabeau de l'armoire de fer complice du roi.

La guillotine a été démontée et remisée au placard des antiquités, avec les monstruosités d'antan, mais elle a été remplacée par des formes de guillotines sèches : la calomnie, la haine, le mépris, l'insulte, le bûcher, la désinformation, le mensonge, la diffamation, l'allégation, la souillure, l'insinuation, la supputation, l'accusation, l'éreintement avec la planète pour témoin. Mais il suffirait de peu pour que d'aucuns qui chérissent le petit avocat raté d'Arras aillent rechercher la Veuve pour la remonter, l'installer sur la place publique et y envoyer sous les crachats ceux qu'ils se contentent d'invectiver aujourd'hui. Cette gauche-là, qui n'a que le monopole de la parole et de la critique, fait peur. Robespierre porte des masques.

Le roi n'est plus, guillotiné par les précédents. Mais il a été remplacé par le marché qui règne sans partage en se moquant de la démocratie et de la République, des souffrances du peuple et des misères des braves gens, du sens commun et du bien public. Le libéralisme est le nom de cette royauté nouvelle. Et j'appelle libéralisme le régime dans lequel le marché fait la loi, autrement dit : le régime dans lequel l'argent fait la loi. Jadis, il existait un mot pour qualifier cette infamie : la ploutocratie. Le mot et la chose existent chez les Grecs, dont Aristote. Mais c'est un socialiste français, Pierre Leroux, qui le crée vers 1848. Vallès parle quant à lui de gouvernement ploutocratique en

1874. Mais son usage par la droite antisémite dans les années 1930 en a définitivement condamné l'usage. Plions-nous à l'usage, les mots sont en effet porteurs de charges symboliques, mais dommage pour la chose qui se trouve ainsi préservée par ce mot contaminé et légitimement confiné.

Donc : ni la gauche du Tribunal révolutionnaire et de la guillotine, des barbelés et des camps, des miradors et des goulags ; ni la gauche du tribunal de la marchandise et du capitalisme sauvage, du libéralisme échevelé et du grand marché mondial, du consumérisme marchand et des capitaux flottants, des banquiers invisibles et des bureaucrates sans visage.

*
* *

Y aurait-il une autre gauche ? Évidemment, certainement, pour sûr. Mais elle a été savamment poussée au fossé par les deux autres gauches qui travaillaient à l'hégémonie de leur puissance. Marx fit bourrer les urnes des Internationales où siégeaient moins d'une centaine de membres pour s'assurer la domination, et les socialistes qui n'étaient pas marxistes ont été évincés du mouvement social international. Thiers fit fusiller les communards parmi lesquels les marxistes étaient inexistants ; en revanche, le sang libertaire a abondamment coulé sur les barricades de Paris. Thiers fit dans la rue le travail que Marx fit dans les urnes. Exit la gauche libertaire.

La révolution d'octobre 1917 fut en fait un coup d'État perpétré par une poignée de bolcheviques qui crut bon de cacher son caractère minoritaire (*men'ševik*, minorité en russe) en se présentant comme bolchevique, donc majoritaire (*bolchinstvo*, majorité en russe). Les anarchistes qui tenaient pour la révolution par les soviets, et pas pour la dictature du prolétariat, furent évincés. Et quand ils demandèrent les soviets à Cronstadt en 1921, Lénine leur envoya l'armée de Trotski qui les fusilla. Ils eurent le goulag. Exit la gauche libertaire.

L'esprit de Mai 68 fut incontestablement libertaire. Même les militants qui se réclamaient de Mao, de Trotski ou de Hô Chi Minh agrémentaient leur révolte de pétards et de jolies filles, de bière dans les bars et de cinéma avant-gardiste, de BD et de musique pop. Le PCF prit ses ordres à Moscou : il ne fallait pas détruire le régime du général de Gaulle, soviétophile, le mot d'ordre fut à la stigmatisation de Cohn-Bendit comme petit-bourgeois juif allemand. Les accords de Grenelle, la reprise du travail ont remisé le drapeau noir au grenier. Peu de temps plus tard, la droite postgaulliste puis libérale, donc antigaulliste, prenait le pouvoir. Mitterrand reprocha à Mai 68 de lui avoir fait perdre dix ans...

Dans l'histoire, la gauche libertaire n'a jamais su se faire entendre. Elle n'a jamais existé plus longtemps que ce qu'avait décidé la gauche des barbelés qui n'hésite devant rien pour la faire disparaître. Pacifique, antiautoritaire, refusant la dictature d'un chef, croyant aux vertus du débat, de l'échange, de la parole, de l'intelligence, puis du conseil comme forme de cette délibération, elle a été pulvérisée par ceux qui ont choisi exactement l'inverse : la violence, l'autorité, le culte du chef, la dictature et le parti. Il y a dans le cœur nucléaire de la pensée libertaire un virus qui la détruit de l'intérieur : elle ne fait pas le poids face aux brutes.

*
*　*

Et les Girondines me direz-vous ? Que viennent-elles faire dans cette galère ? Je crois qu'on peut affirmer : « Dis-moi quelle est ta Révolution française et je te dirai qui tu es. » À quoi on peut ajouter : je te dirai quelle est ta gauche. J'ai longtemps cru Michelet sur parole et j'ai lu son *Histoire de la Révolution française* en souscrivant à son roman. Roman idéal pour une France idéalisée, il y avait le souffle épique, la démesure sublime, la grandeur visible, le flux de l'Histoire comme celui d'un fleuve chinois. Je lui ai emprunté sa formule « La religion du poignard » pour en faire le titre de mon livre sur Charlotte Corday.

J'ai laissé de côté les Mathiez et les Soboul qui font le catéchisme révolutionnaire républicain enseigné dans les écoles. C'est, hélas, toujours celui qui domine en France. Juste une preuve : lorsque j'ai visité le musée de la Révolution française au château de Vizille dans l'Isère, je n'ai pas été surpris que l'accueil se fasse sous les auspices d'un bronze de Marat. Sur le socle de béton on pouvait lire : « Tu te laisseras donc toujours duper, peuple babillard et stupide, tu ne comprendras jamais qu'il faut te défier de ceux qui te flattent ? » Un extrait de *L'Ami du peuple* qui, s'il dit vrai, invite à se défier de Marat qui ne fit que flatter le peuple.

Sur l'autre côté du socle, il y a ceci : « Il fallait le voir, traqué de réduit en réduit dans les lieux humides où il n'avait pas de quoi se coucher, rongé par la misère la plus affreuse, il couvrait son corps d'une simple couverture et sa tête d'un mouchoir hélas ! presque toujours trempé de vinaigre, un (*sic*) écritoire dans sa main, quelques chiffons de papier sur les genoux, c'était sa table ! » Pauvre chéri, on le plaindrait même, lui qui, le 26 octobre 1792, voulait conduire 270 000 personnes à la guillotine !

Torse nu, assis à même le sol, émergeant d'une couverture, écrivant un texte, avec une mine patibulaire, la tête couverte de son torchon vinaigré, il fait face au musée de la Révolution française subventionné par l'argent public, dont le conseil général de l'Isère. Il se trouve juché sur ce bloc de béton d'où il surveille l'entrée comme le ferait un commissaire du peuple décidé à décapiter quiconque n'en sortirait pas avec un visage radieux.

Dès qu'on entre, une affiche simili 1793 nous accueille en nous tutoyant. Elle présente le musée. « Ces informations te permettront de percevoir, comme tu n'as jamais eu l'occasion de le faire, la complexité et la contradiction d'une période fondatrice de notre société, trop souvent réduite à quelques clichés. » On rêve ! Le musée qui expose tous les clichés et reprend tous les lieux communs de la Révolution française nous signale qu'il lutte contre les clichés – sans dire lesquels !

Suite du pensum : « Des textes, une chronologie, un audioguide t'aideront à aborder d'une manière bien éloignée du discours scolaire ou historique traditionnel, le cœur même de la Révolution française, autant critiquée pour sa violence propre à la plupart des grands bouleversements sociaux que saluée comme la naissance des libertés essentielles dont nous bénéficions aujourd'hui. » Puis ceci : « C'est gratuit. » Or le musée vit presque exclusivement grâce aux impôts du citoyen qui a donc déjà payé sa place pour cette leçon d'endoctrinement. Le conseil général de l'Isère, l'État, la région Rhône-Alpes contribuent au budget. Ainsi que la « Banque de Vizille » ! Quant au « discours scolaire ou historique traditionnel » auquel le musée devrait faire pièce, il l'exhausse au contraire !

Le musée, on l'imagine, aurait probablement aimé exposer une belle et vraie guillotine, avec des traces de sang si possible. Las ! Il n'y en a point ! La direction a donc pris soin d'en représenter une grandeur nature, peinte en bleu avec ce texte peint lui aussi au-dessous de la Veuve : « La véritable guillotine ordinaire. Ha le bon soutien pour la liberté ! » On ne sait de qui est ce texte, mais son extraterritorialité historique le transforme, de fait, en vérité universelle. Ce qui fut pensé en 1793 doit donc toujours l'être au moment où on le lit.

Le cartel qui accompagne cette sinistre figuration commence ainsi : « Aussi surprenant que cela puisse paraître, la guillotine est une invention humanitaire. Elle aussi, comme le système métrique, comme les départements, est un pur produit des Lumières » ! Et l'on nous présente Guillotin comme un philanthrope éclairé soucieux d'adoucir la mort et de mettre chacun à égalité devant le trépas.

La guillotine doit donc être aimée par ceux qui aiment la liberté. Dès lors, quiconque n'aime pas la guillotine n'aime pas la liberté. Il sera donc puni par... la guillotine qui, nous dit-on, ne tranche la tête que des royalistes. Ceux qui aiment le bien public aiment cette machine délirante ; ceux qui ne l'aiment pas sont des contre-révolutionnaires. On lutte en effet contre les clichés...

La cohorte d'enfants des écoles venus visiter le musée pourra donc s'instruire et faire de la guillotine un acquis de la philosophie des Lumières – au même titre que le mètre, le kilo, la seconde et le département de l'Isère. Désormais, il saura qu'il y a les bons révolutionnaires qui décapitent pour rendre libre et les méchants royalistes qui fustigent la guillotine comme « couteau d'une tyrannie sanguinaire », thèse à laquelle, bien sûr, le bon citoyen ne saurait souscrire.

On sort de ce musée comme on sort de la lecture de *1984* de George Orwell ! Voir le bourreau Marat présenté comme une victime ! Présenter des clichés en prétendant qu'ils luttent contre les clichés qu'on prétend dénoncer ! Montrer la guillotine comme un produit des Lumières ! En faire l'instrument de la liberté ! Faire de tout opposant au rasoir national un contre-révolutionnaire royaliste ! Voilà qui ne manque pas d'insolence...

Dans l'avant-propos au catalogue, le directeur du musée prend soin de dire : « Le point de départ du musée ne fut pas une chronologie ou un discours officiel, voire partisan, à illustrer » – si tel avait été le cas, on se demande à quoi aurait ressemblé ce lieu !

Le catalogue est un ramassis des lieux communs sur la Révolution française : Rousseau, qui condamne l'imprimerie, le théâtre, la musique, la civilisation, présenté comme un philosophe des Lumières ; les acteurs de la prise de la Bastille qui « comprirent immédiatement qu'ils avaient participé à une journée historique » ; Marat, « martyr de la révolution » et plus loin « icône de la vertu républicaine » ; l'Ancien Régime assimilé à la corruption ; sur les sévices infligés à Louis XVII, il est question de « mauvais traitements prétendument (*sic*) infligés au dauphin » – qui en est mort tout de même ; aucun commentaire sur les infâmes traitements du corps de la princesse de Lamballe malgré une toile montrant son cadavre dans la rue ; rien sur la dernière nuit des Girondins avant leur exécution, malgré la toile immense et sublime de Philippoteaux ; rien sur la scène des prisonniers dans les caves de la Terreur – une toile de huit mètres de long...

Une double page est intitulée « La stigmatisation de la violence des sans-culottes ». Le *Petit Robert* définit ainsi stigmatiser : « Noter d'infamie, condamner définitivement et ignominieusement. » Que les sans-culottes armés d'une pique aient été violents ne fait aucun doute. Le dire, ce serait donc les stigmatiser ? La notice qui accompagne de façon très vériste, c'est le titre de l'œuvre, un *Pillage d'une église pendant la Révolution française de 1793* peint vers 1885 par Victor-Henri Juglar se trouve ainsi commentée : « L'opposition aux principes de la Révolution se manifesta dès l'origine par la représentation de ses excès, particulièrement ceux commis par le peuple, dont les adversaires contribuèrent à diffuser une image caricaturale, l'associant à la violence, la vulgarité et l'ignorance. Cette vision antirévolutionnaire fit peu à peu se confondre le peuple avec la sans-culotterie, réalité historique circonscrite transformée en mythe tenace. » Décryptage : montrer la violence révolutionnaire avérée des sans-culottes, c'est s'opposer aux principes de la Révolution ; raconter que les massacres de Septembre, par exemple, ont été sanglants puisqu'ils ont laissé 1 300 morts sur le pavé en trois jours, c'est caricaturer ; dire que le peuple était ignorant alors qu'il n'était pas éduqué, c'est construire un mythe tenace ; dire que le réel a eu lieu quand il fut arrosé de sang, c'est se montrer antirévolutionnaire...

Les notices présentent Marat comme désirant « l'instauration d'une dictature capable d'assurer le bonheur du peuple » et Robespierre auréolé de son « programme de démocratie intégrale » – qui pourrait ne pas vouloir le bonheur du peuple ou la démocratie intégrale ? Le même Robespierre « élimina ceux qu'il estimait nuisibles à l'idéal républicain » – autrement dit : vertueux, il ne fit guillotiner personne d'autre que ceux qui le méritaient.

Pour être un bon révolutionnaire, il ne reste donc qu'à pleurer sur le pauvre sort de Marat, l'ami du peuple, à célébrer la violence des sansculottes, à vanter les mérites de la guillotine, sublime produit des Lumières, à faire de Marat et Robespierre des amis de la liberté, à transformer les tyrans qui envoient à l'échafaud en victimes de la propagande royaliste, à dire de quiconque qui s'oppose à la dictature jacobine, au Tribunal révolutionnaire, aux procès sans avocats, aux profanations de cadavres (le sexe découpé de la princesse de Lamballe et transformé en barbe par un bon révolutionnaire...), aux mauvais traitements infligés à un enfant (Louis XVII entre en captivité à l'âge de quatre ans et meurt à dix ans à cause des mauvais traitements que lui infligent les bons révolutionnaires...), que ce sont des contre-révolutionnaires. Ainsi, la messe est dite. Je ne peux faire mienne *cette* Révolution française. Car il y en a une autre et vouloir celle qui verse le sang alors qu'il y en eut une qui ne voulait pas le verser reste possible. Opter pour « 1793 » c'est sciemment vouloir la dictature d'une minorité sur la totalité du peuple. Lénine ne vouait pas par hasard un culte à Robespierre.

*
* *

Quelle est cette Révolution française qui n'a pas droit de cité au musée de Vizille, le seul musée consacré à la Révolution française en France ? Celle qui fait de Beccaria son héros. Son *Traité des délits et des peines* ne permet pas qu'on puisse un jour faire de la guillotine un instrument des Lumières, ni de la peine de mort un progrès de la raison révolutionnaire capable d'abolir l'obscurantisme monarchique – elle est bien plutôt une régression sur le terrain et de la raison et de la justice.

Ma Révolution française est celle des Girondins qui préfèrent l'ironie hédoniste de Voltaire à l'ascèse intégriste de Rousseau, qui désirent la justice sans le sang versé à la prétendue justice du *Contrat social* qui justifie la peine de mort. C'est celle de ceux qui aiment la liberté plus que l'égalité parce que l'excès de liberté est incompatible avec l'ouverture des camps et des opérations de destruction massive des peuples qui accompagnent toujours l'excès d'égalité. C'est celle de ceux qui ne prennent pas le peuple en otage et prétendent

parler pour lui en envoyant ses élus sous le tran-
choir républicain.

Le flou entoure les Girondins. D'abord parce
que l'historiographie dominante, jacobine, a tout
fait pour. Ensuite, parce que cette constellation
d'étoiles solitaires, cet archipel d'îles séparées,
n'a pas pensé la même chose sur tout au même
moment. Pour les mêmes raisons, elle n'a pas
voulu le pouvoir de façon organisée, militaire,
dictatoriale. Puisqu'elle ne s'en est pas donné les
moyens, elle ne l'a pas eu et elle a fait les frais des
Jacobins qui, eux, s'en sont donné violemment les
moyens. Malheur aux vaincus...

Je retiens une ligne de force importante qui ras-
semble ces subjectivités en sensibilité : un refus de
la domination de Paris sur le reste de la France.
J'aime que le pasteur conventionnel du Tarn Marc-
David Lasource dise le 25 septembre 1792 qu'il
souhaite réduire la capitale « à un quatre-vingt-
troisième d'influence comme les autres départements ». Il fait partie de la charrette de Girondins
que Robespierre envoie à l'échafaud.

Ces femmes qui gravitaient dans la constellation
girondine – Manon Roland, Olympe de Gouges,
Charlotte Corday, Théroigne de Méricourt, Germaine
de Staël – étaient révolutionnaires. C'est incontes-
table. L'historiographie dominante en a fait qui
une royaliste, qui une contre-révolutionnaire, qui
une ennemie du peuple, qui une alliée des monarchies européennes, qui une complice de la famille
royale... L'insulte dispense de penser. Elle croit
pouvoir interdire pour toujours le fonctionnement de l'esprit critique. Décapitées, emprison-
nées, salies, insultées, elles ont porté un message
clair, romain : on peut être révolutionnaire pour

vouloir la fin d'un régime tyrannique, mais une tyrannie ne saurait abolir une tyrannie, elle la remplace tout au plus. Tout ce sang versé n'a en rien changé la vie quotidienne du peuple qui, lui aussi, a fait les frais de cette folie jacobine. De serf sous la monarchie, il est devenu ouvrier sous la bourgeoisie ; sa misère a continué. La révolution reste à accomplir, il faut pour ce faire commencer par la réaliser sur le terrain de l'historiographie de la Révolution.

*
* *

Nul n'en disconviendra, Proudhon est un penseur de gauche. Ce qu'il dit de la Révolution française exprime le point de vue anarchiste sur la question. *C'est le mien*. J'ai longtemps cru qu'il se trouvait dans les mille pages de *La Lutte de classes sous la Première République. Bourgeois et « bras nus » (1793-1797)* de Daniel Guérin avant de m'apercevoir que l'anarchisme de Guérin était plus une modalité du marxisme qu'un anarchisme non marxiste, voire antimarxiste. Cet anarcho-communisme ne diffère pas beaucoup du marxisme – voir son *Pour un marxisme libertaire* (1969).

Certes, dans son histoire, Guérin critique le centralisme autoritaire des Jacobins et de Robespierre ; bien sûr, il va chercher du côté de l'action des « bras nus », selon l'expression de Michelet, matière à esquisser ce qui préfigurerait la démocratie directe et les conseils ouvriers, mais le tout dans une perspective communiste – donc marxiste. Cet homme qui aime les hommes (voir

Autobiographie de jeunesse, d'une dissidence sexuelle au socialisme, 1972, et *Son testament*, 1979) goûte la virilité des sans-culottes et croit au spontanéisme des masses. Mais ce communisme dit libertaire paraît plus communiste que libertaire, il définit bien plutôt un anarcho-communisme. Guérin conclut que la Révolution française fut bourgeoise et qu'elle ne fut pas populaire ; il a raison. Mais cette Révolution pouvait être populaire sans être communiste, Proudhon le montre. C'est le sens de son socialisme libertaire – le mien.

Proudhon n'a consacré aucun livre spécifique à la Révolution française. Il faut rassembler sa pensée éparse en la matière. Des manuscrits inédits, fort opportunément édités dans le *Proudhon oui et non* de Guérin, permettent d'y accéder. Mais ce sont des notes, avec le caractère aléatoire de ce genre d'écrit où l'on pense tout haut, où la pensée se cherche et n'est pas encore trouvée.

Reste qu'il existe une ligne de force chez Proudhon en la matière : son refus de Robespierre et des robespierristes, sa haine de la guillotine et du gouvernement de la Terreur, son mépris des Montagnards et de Saint-Just, son opposition au sang versé et au centralisme jacobin. À quoi s'ajoutent : une dilection pour les Girondins en général, et pour Lanjuinais en particulier, son intérêt pour le fédéralisme girondin et le gouvernement direct du peuple par le peuple, ce qui se nomme depuis *autogestion*.

Robespierre : il fustige son étroitesse d'esprit ; son intolérance généralisée ; sa bigoterie déiste ; sa haine des Enragés Jean-François Varlet et Jacques Roux, ancêtres des anarchistes, qu'il envoie à la guillotine – « c'est au cri de "À bas les anarchistes" que le peuple de 93 a été dépouillé de ses initiatives par Robespierre », écrit-il ; ses allures tyranniques et son désir, *in fine*, de devenir dictateur après avoir proposé un triumvirat ; sa misanthropie ; son jésuitisme et son comportement de général des Jésuites – il le dit « bâtard de Loyola » ; sa complicité avec la bourgeoisie et sa confiscation de la Révolution française contre le petit peuple spolié – il écrit que les Jacobins furent les « agents premiers et efficaces de la contre-révolution », je souscris. Il écrit dans sa *Correspondance* : « Je suis l'antipode de Robespierre » (III.178).

Les robespierristes : il les rend responsables de l'incapacité, pour la Révolution française, à accoucher d'autre chose que de la révolution bourgeoise. La confiscation des biens du clergé a profité à ceux qui avaient les moyens de les acheter ; donc à la petite, moyenne et grande bourgeoisie, pas aux paysans aux côtés desquels Proudhon se trouve toujours. Les robespierristes se sont déchaînés contre les athées, les déchristianisateurs, les Enragés, les anarchistes qui travaillaient pour le peuple : ils les ont envoyés à la guillotine. Voilà pourquoi « Les Jacobins et Robespierre furent les premiers réacteurs », écrit-il dans ses *Carnets*. À l'époque, un *réacteur*, c'est un réactionnaire, un contre-révolutionnaire – et il y en a dans le rang de la gauche : ce sont ceux qui empêchent la révolution sociale favorable aux pauvres, une révolution sociale qu'ils interdisent au profit d'une révolution politique qui n'est utile qu'à eux-mêmes, c'est-à-dire aux gens de partis. « Comme Jean-Jacques (Rousseau) a arrêté le mouvement des Encyclopédistes, Robespierre a suspendu le mouvement révolutionnaire », affirme Proudhon.

La guillotine : Proudhon la refuse franchement, clairement, nettement, violemment. Dans ses *Carnets*, il affirme que la Terreur frappait « une multitude de gens du peuple, des ouvriers, des commençants, des domestiques et jusqu'à des enfants » (IV.172). Il suffit pour se rendre compte de la vérité de cette assertion de lire l'origine sociale des guillotinés de Paris dans le *Journal d'un bourgeois de Paris sous la révolution* de Nicolas Célestin Guittard, édité par son descendant Raymond Aubert. Nous sommes loin d'un Éric Hazan, l'éditeur de Labica, Zizek et Badiou, qui écrit dans *Une histoire de la Révolution française* en 2012 : « La Terreur avec un T majuscule est une notion historiquement inconsistance. Le placage d'une théorie de la Terreur sur les événements est un artifice idéologique (*sic*) » (285). L'usager de l'idéologie qui stigmatise l'usage de l'idéologie, voilà qui fait sourire !

Daniel Guérin écrit dans *Proudhon oui et non* : « Le dernier mot du discours proudhonien sur la Révolution française, je le vois dans son horreur viscérale, morale, sensible, du terrorisme en tant qu'arme politique, de tout terrorisme, de n'importe quelle mutation sociale, fût-elle cent fois légitime, si elle s'opère au prix d'hécatombes humaines. » Parlant du XXᵉ siècle, Daniel Guérin poursuit : « Rétrospectivement, les immenses saignées dont les hommes du présent siècle auront été les témoins horrifiés ou les victimes crucifiées donnent raison à Pierre-Joseph Proudhon » (54). De fait...

Saint-Just : précoce en tout, mais aussi en orgueil, en mépris de ses semblables, en hypocrisie, en despotisme, en férocité, en cynisme, en monstruosité, en ressentiment, en mensonge, en dissimulation, en hypocrisie, en machiavélisme, en petitesse. Saint-Just, c'est l'homme qui, sans expérience militaire, envoie les soldats à la mort ; c'est l'homme qui fait fusiller les généraux n'ayant pas gagné la bataille ; c'est l'homme qui ponctionne les pauvres et les vole, sous prétexte de réquisition au nom de la République : « Saint-Just est la plus pure expression de cet automatisme dictatorial et sanguinaire. Cet animal, on ne peut lui donner d'autre nom, ne sait rien, rien de rien : mais il est en rut, en rut de tyrannie et de vengeance, car il a la force » (101).

Contre ce versant noir et sombre, sanglant et cruel de la Révolution française, Proudhon, qui est surtout le philosophe de « l'anarchie positive », dit quelle Révolution il aime : celle des Girondins et des pragmatiques, des réalistes et des adversaires de l'idéologie, des hommes soucieux du peuple et de ses souffrances tangibles. Il fait du Girondin breton Jean-Denis Lanjuinais son héros.

La Gironde : Proudhon refuse les deux extrêmes que sont les robespierristes et les monarchistes, les Jacobins et les monarchiens, les Montagnards et les royalistes. Difficile en son temps comme dans le nôtre où le manichéisme fait la loi. Ni tsariste ni bolchevique en 1917, ni stalinien ni capitaliste lors de la guerre froide, ni soixante-huitard ni gaulliste en Mai 68, ni socialiste ni néo-gaulliste dans les années 1980 à 2000, ni social-libéral ni néo-gaulliste aujourd'hui, l'homme libre est l'ennemi de tous les amis de la servitude.

Proudhon écarte aussi bien le capitalisme privé que la nationalisation étatique, car il souhaite la multiplication des associations autogestionnaires de production aidées par une banque du peuple qui leur offrirait un crédit gratuit. Il refuse l'expropriation violente et souhaite que la révolution sociale s'effectue par en bas, venue du peuple, contre une révolution politique venue d'en haut, et s'exerçant contre le peuple. Pour lui : « Le socialisme est une protestation contre le pouvoir. Or la Montagne entendait réaliser le socialisme par le pouvoir et, qui pis est, se servir du socialisme pour arriver au pouvoir » – *Idées révolutionnaires* (19). La Gironde paraît la sensibilité politique la plus proche de cet idéal.

Il aime dans la Gironde le fait qu'elle répugne à la doctrine – il a raison. C'est sa force, mais c'est aussi sa faiblesse. C'est parce qu'elle avance dans le désordre qu'elle ne peut faire face aux intrigues jacobines qui préfigurent l'action concentrée d'une avant-garde révolutionnaire qui pulvérise, malgré son petit nombre, le grand nombre girondin égaillé dans la campagne.

Il aime dans la Gironde le fait qu'elle invite au modèle fédéraliste contre le paradigme centralisateur jacobin – il a encore raison. Mais c'est toujours et aussi sa force et sa faiblesse. Les centralisateurs parlent d'une voix, fût-ce au prix de l'extinction des paroles dissidentes. Et une voix se fait plus et mieux entendre qu'une multitude de paroles, fussent-elles brillantes et élégantes comme celles des Girondins parmi lesquels il y eut de brillants orateurs, d'habiles rhéteurs, de grands avocats.

Dans son *Idée générale de la révolution au XIXe siècle*, il écrit : « Prétendre que le pays, c'est-à-dire chaque localité pour ce qui la concerne, n'a pas le droit de se régir, administrer, juger et gouverner lui-même ; sous prétexte de République une et indivisible, ôter au peuple la disposition de ses forces ; après avoir renversé le despotisme par l'insurrection, le rétablir par la métaphysique ; traiter de *fédéralistes,* et comme tels désigner à la proscription ceux qui réclament en faveur de la liberté et de la souveraineté locale : c'est mentir au véritable esprit de la Révolution française, à ses tendances les plus authentiques, c'est nier le progrès. Je l'ai dit, et je ne puis trop le redire, le système de la centralisation, qui a prévalu en 93, grâce à Robespierre et aux Jacobins, n'est autre chose que la féodalité transformée ; c'est l'application de l'algèbre à la tyrannie » (322).

Lanjuinais : la France est pour lui fondamentalement girondine ; elle répugne au centralisme jacobin : « La France est essentiellement et par nature fédérative et girondine. Il faut rendre justice aux idées de la Gironde », confie-t-il à son *Carnet* (X). Et dans la Gironde, il extrait la figure de Lanjuinais. Dans une lettre à Langlois datée du 14 août 1851, il écrit : « Savez-vous quel est l'homme de l'ancienne révolution que j'aime, que j'admire (...), que je prends pour héros ? C'est Lanjuinais. Lanjuinais, le Girondin, mais si généreux, si pur » (*Correspondance*, IV.81). Le *mais* demeure énigmatique ! Les Girondins ne seraient ni généreux ni purs ? Plume rapide de l'épistolier ? Réserve à l'endroit de la Gironde dans son ensemble ? On ne saura...

Qui fut Lanjuinais, qui mérite, c'est rare chez cet homme rude qu'était Proudhon, son amour et son admiration ? Pour en rester à la Révolution française : Jean-Denis Lanjuinais fut rédacteur des cahiers de doléances de Rennes, député aux états généraux, élu breton à la Convention où il siégeait avec les Girondins. Dès 1788, il demande l'abolition des droits féodaux et de la noblesse en tant qu'ordre ; il réclame l'abolition des privilèges, puis celle des corvées ; il rédige la Constitution civile du clergé ; il travaille à la suppression des ordres monastiques ; il souhaite que l'état civil soit retiré à l'Église et confié aux municipalités ; il s'oppose aux prêtres réfractaires ; il proteste contre les Jacobins qui veulent une prestation de serment de haine aux rois et à la royauté ; il demande la poursuite des auteurs des massacres de Septembre ; il appuie le Girondin Levet dans ses attaques contre Robespierre à l'Assemblée ; il refuse que Louis XVI soit exécuté, par opposition à la peine de mort, et lui préfère la réclusion jusqu'à la paix et le bannissement ensuite ; il s'oppose à la création du Tribunal révolutionnaire ; il vote pour la mise en accusation de Marat ; il défend les époux Roland, girondins comme on s'en souvient ; il dénonce l'existence du Comité d'insurrection de la Commune ; il critique les pressions exercées par les émeutiers sur la Convention. Lors de l'arrestation des Girondins, il est gardé à vue chez lui par un gendarme ; il parvient à s'enfuir ; il quitte Paris et vit dix-huit mois en Bretagne, dans un grenier ; il divorce pour éviter à son épouse d'être associée à son malheur ; il recouvre la liberté après Thermidor – et réépouse sa femme ; il retrouve la Convention et fait partie des rédacteurs de la Constitution de l'an III. On imagine que Proudhon aurait pu avoir un trajet semblable des états généraux à Thermidor.

Proudhon ne souscrit pas au communisme de Babeuf ; il aime trop la petite propriété qu'il estime être la garantie de la liberté. Il pose que l'abolition de la propriété irait de pair avec l'abolition de la liberté, ce à quoi il n'aspire pas du tout. Un siècle de communisme lui donne raison.

Il reste un défenseur de la Gironde : « Les Girondins, dans ce qu'on a appelé leur *fédéralisme*, cherchaient à concilier la liberté *communale et départementale* avec *l'unité nationale* : c'est l'éternel problème du gouvernement libre. La Montagne crie à la division et pousse à la centralisation absolue, sans s'apercevoir que *l'unité et l'indivisibilité* de sa république, c'était la monarchie. Quel génie faut-il pour centraliser, pour accaparer ? c'est le pont aux ânes de tous les despotes, la première indication de l'instinct politique. »

Au bout du compte, Proudhon voit bien que cette révolution n'a profité qu'aux bourgeois ; elle a nui aux ouvriers, aux pauvres, au peuple, aux paysans, aux artisans, aux petits commerçants. Dans son *Idée générale de la révolution au XIXᵉ siècle*, il écrit : « Dire que la révolution de 89, n'ayant rien fondé, ne nous a point affranchis, mais seulement changé de misère, dire, en conséquence, qu'une révolution nouvelle, organisatrice et réparatrice, est nécessaire pour combler le vide creusé par la première : c'est pour beaucoup de gens avancer une proposition paradoxale, scandaleuse, pleine de troubles et de désastres » (153). Une révolution organisatrice ? C'est ce que voulaient les Girondins.

Proudhon a aimé passionnément l'*Histoire de la Révolution française* de Michelet. Il l'a lue en prison, à la Conciergerie, et a envoyé une lettre à son auteur le 11 avril 1851. Parlant de Robespierre dont il estime qu'il « n'était nullement républicain », il signale qu'il se préparait à la dictature avec l'aide de Talleyrand et Fouché, dictature que Thermidor a empêchée. Il ajoute : « J'avoue au surplus que ce qui m'indispose contre ce personnage, c'est la détestable queue qu'il nous a laissée et qui gâte tout en France. (...) C'est toujours le même esprit policier, parleur, intrigant et incapable, à la place de la pensée libérale et agissante du pays. *Dieu, délivrez-nous du jacobinisme !* »

Nous en sommes encore là : abolir le régime qui génère la misère du peuple ; réaliser une révolution organisatrice ; promouvoir cette fameuse « anarchie positive » que définit « l'ordre sans le pouvoir » ; et, pour ce faire, couper la queue de Robespierre qui repousse indéfiniment – comme celle d'un reptile ; nous méfier de l'esprit policier et parleur, des intrigants et des incapables. La gauche ne devrait plus avoir à choisir entre la gauche qui renonce à l'être et la gauche dont la queue dépasse sous le treillis. Les Girondines n'aimaient ni l'une ni l'autre.

Table

11818

Composition
NORD COMPO

*Achevé d'imprimer en Espagne
par CPI (Barcelone)
le 14 mai 2017.*

Dépôt légal : juin 2017.
EAN 9782290140802
OTP L21EPLN002109N001

ÉDITIONS J'AI LU
87, quai Panhard-et-Levassor, 75013 Paris

Diffusion France et étranger : Flammarion